CENTRAL INTELLIGENCE AGENCY

UNITED STATES OF AMERICA

Brasília 16/02/2011

INTRODUÇÃO

HERÓDOTO BARBEIRO

O NOVO RELATÓRIO DA CIA

COMO SERÁ O AMANHÃ

TRADUÇÃO E NOTAS ADICIONAIS

CLAUDIO BLANC

GERAÇÃO EDITORIAL

1ª edição – março de 2009

Editor e Publisher
Luiz Fernando Emediato

Diretora Editorial
Fernanda Emediato

Editor
Marcos Torrigo

Projeto Gráfico, Diagramação e Capa
Edinei Gonçalves

Revisão
Cristina Kramer

Dados Internacionais de Catalogação na Publicação (CIP)
(Câmara Brasileira do Livro, SP, Brasil)

O Novo Relatório da CIA : como será o mundo amanhã / The National Intelligence Council"s ; introdução de Heródoto Barbeiro ; tradução e notas adicionais Cláudio Blanc. -- São Paulo : Geração Editorial, 2009.

Título original: Global trends 2025 : a transformed world.
ISBN 978-85-61501-11-2

1. Globalização 2. Política mundial 3. Previsão do futuro 4. Serviço de Inteligência - Estados Unidos I. The National Intelligence Council"s. II. Barbeiro, Heródoto. III. Blanc, Claudio.

09-00798 CDD-320.91

Índices para catálogo sistemático:

1. Estudos do futuro : Política mundial : Ciência política 320.91
2. Relatório da CIA : Previsões do futuro : Política mundial : Ciência política 320.91

GERAÇÃO EDITORIAL

Administração e Vendas
Rua Pedra Bonita, 870
CEP 30430-390 – Belo Horizonte/MG
Telefax: (31) 3379-0620

Editorial
Rua Major Quedinho, 111 – 20º andar
CEP 01050-030 – São Paulo/SP
Tel.: (11) 3256-4444 – Fax: (11) 3257-6373
Email: producao.editorial@terra.com.br
www.geracaoeditorial.com.br

2009
Impresso no Brasil
Printed in Brazil

Preparamos *Tendências Globais 2025: Um Mundo Transformado* para estimular o pensamento estratégico sobre o futuro por meio da identificação das principais tendências, dos fatores que as movem, onde elas tendem a acontecer e como poderão interagir. O relatório usa cenários para ilustrar algumas das muitas maneiras nas quais os impulsionadores examinados no estudo (por exemplo, globalização, demografia, o surgimento de novas potências, a decadência das instituições internacionais, mudança climática e a geopolítica da energia) podem interagir para gerar desafios e oportunidades para os futuros líderes políticos. O estudo como um todo é mais uma descrição dos fatores que devem moldar os eventos do que uma predição do que acontecerá de fato.

Ao examinar um número pequeno de variáveis as quais julgamos que provavelmente terão grande influência nos eventos e possibilidades futuras, o estudo busca ajudar os leitores a reconhecer sinais que indicam a tendência dos eventos e a identificar oportunidades para intervenção política a fim de alterar ou manter as trajetórias de desenvolvimentos específicos. Entre as mensagens que esperamos transmitir estão: "se você gosta da tendência dos eventos, você pode não querer tomar uma ação para preservar sua trajetória positiva. Se você não gosta das tendências de desenvolvimento, você terá de desenvolver e implementar políticas para alterar tais trajetórias". Por exemplo, o exame que o relatório faz da transição da dependência de combustíveis fósseis ilustra como diferentes trajetórias trarão diferentes conseqüências para países específicos. Uma mensagem ainda mais importante é que a liderança é fundamental, que nenhuma tendência é imutável e que a intervenção pontual e bem informada pode diminuir a tendência e a severidade de desenvolvimentos negativos e aumentar a tendência dos positivos.

Tendências Globais 2025 é a quarta parte do esforço empreendido pelo Conselho Nacional de Inteligência[1] para identificar os principais fatores impulsionadores e os desenvolvimentos que devem moldar os eventos mundiais daqui a uma década ou mais. Tanto o produto como o processo usados para produzir este relatório se beneficiaram das lições aprendidas nas interações anteriores. A cada nova edição do relatório *Tendências Globais* temos empregado comunidades de especialistas maiores e mais diversas. Nosso primeiro esforço, que ia até 2010, baseou-se basicamente na opinião da Comunidade de Inteligência dos EUA. Houve também alguma colaboração de outros elementos do governo dos EUA e da comunidade acadêmica americana. Para o *Tendências Globais 2015,* trabalhamos com grupos mais numerosos e mais variados de especialistas que não faziam parte do governo americano, a maioria dos quais era cidadãos americanos.

Para o terceiro relatório, *Tendências Globais 2020*[2], aumentamos bastante a participação de especialistas não americanos por meio da realização de seis seminários em cinco continentes. Também aumentamos o número e variamos o formato das reuniões nos EUA. Essas reuniões aumentaram nossa compreensão tanto das tendências específicas e dos fatores impulsionadores como da maneira como esses fatores eram percebidos por especialistas de diferentes regiões do mundo.

A cada nova interação, foi produzido um relatório mais interessante e influente. De fato, a resposta mundial ao *Tendências Globais 2020* foi extraordinário. O relatório foi traduzido para diversas línguas, debatido por órgãos governamentais, discutido em cursos universitários e usado como ponto de partida em reuniões comunitárias sobre problemas internacionais. O relatório foi amplamente lido e criticado de forma construtiva por uma miríade de especialistas e pelo público em geral.

1. O NIC, conforme a sigla em inglês é o centro que define as estratégias de médio e longo prazos dentro da Comunidade de Inteligência dos EUA. É um grupo constituído por 16 agências, ou "elementos", como também são chamados, de inteligência, das quais a principal é a CIA – N. do T.
2. Publicado no Brasil como *O Relatório da CIA: Como Será o Mundo em 2020* – N. do T.

Buscando capitalizar o interesse gerado pelos relatórios anteriores e atingir círculos ainda maiores de especialidades, modificamos nosso processo novamente para produzir o *Tendências Globais 2025.* Além do aumentar ainda mais a participação de especialistas americanos que não fazem parte do governo dos EUA e de especialistas do exterior para desenvolver a estrutura do presente estudo, compartilhamos diversos rascunhos com os participantes via Internet e por meio de uma série de sessões de discussão em todos os EUA e em muitos outros países. Essa edição do *Tendências Globais* foi a que mais contou com colaboração externa. Essa colaboração tornou o relatório um produto melhor e estamos profundamente agradecidos pelo tempo e pela energia intelectual que literalmente centenas de pessoas devotaram a este esforço.

Como aconteceu com os estudos anteriores sobre as tendências globais que irão moldar o futuro, o processo e os benefícios resultantes da preparação do *Tendências Globais 2025* foram tão importantes quanto a preparação do produto final. As idéias geradas e as percepções advindas da preparação do relatório enriqueceram o trabalho de inúmeros analistas e foram incorporados em diversos produtos analíticos publicados pelo Conselho Nacional de Inteligência e por outras agências da Comunidade de Inteligência. A evidência oral indica que isso também influenciou o pensamento e o trabalho de muitos participantes do processo que não trabalham para o governo dos EUA. Estamos contentes e orgulhosos desses benefícios auxiliares e ansiosos em colher ainda mais benesses quando outros tiverem a chance de ler e de reagir a esta edição do *Tendências Globais.*

Muitas pessoas contribuíram para a preparação do *Tendências Globais 2025,* mas ninguém contribuiu mais do que Matthew Burrows. Seus dons intelectuais e aptidões gerenciais foram críticas na produção deste relatório e todos os envolvidos têm com ele um enorme débito de gratidão. A nota de agradecimento de Mat na página seguinte lista outros que fizeram contribuições especialmente dignas de nota. Muitos outros também fizeram importantes contribuições. Não poderíamos ter produzido esta edição do *Tendências Globais* sem o apoio de todos os que participaram e estamos profundamente gratos pela parceria e amizade que facilitaram o trabalho e resultaram deste esforço colaborativo.

C. Thomas Fingar
Presidente do Conselho Nacional de Inteligência

Agradecimentos

Ao preparar este trabalho, o Conselho Nacional de Inteligência recebeu um ajuda incomensurável de numerosas consultorias, agências de análise, instituições acadêmicas e literalmente de centenas de especialistas de dentro e de fora dos governos dos EUA e do exterior. Não seria possível nomear todas as instituições e indivíduos que consultamos, mas gostaríamos de reconhecer alguns deles por conta das suas importantes contribuições.

O *Atlantic Council* dos EUA e o *Stimson Center* foram importantes para abrir a porta de instituições estrangeiras e de pontos de vista que não teriam sido reunidos com facilidade por este projeto. Dr. William Ralston, Dr. Nick Evans e sua equipe na *SRI Consulting Business Intelligence* forneceram opinião e orientação sobre sistemas e tecnologias (S&T). Dr. Alexander Van de Putte da *PFC Energy International* organizou uma série de reuniões em ter núcleos regionais mundiais para nos ajudar a começar o processo de conceber e construir os cenários. Outros envolvidos nesse esforço são o professor Jean-Pierre Lehmann do *Evian Group* na IMD[3] de Lausanne e Peter Schwartz e Doug Randall do *Monitor Group's Global Business Network* em San Francisco. O professor Barry Hughes da Universidade de Denver contribuiu incrivelmente no processo de construção de cenários e na projeção das trajetórias possíveis das grandes potências. Dra. Jacqueline Newmyer e dr. Stephen Rosen do *Long Term Strategy Group* organizaram três oficinas que foram essenciais no desenvolvimento do

3. Uma das mais importantes universidades de negócios do mundo, com sede em Lausanne, Suíça – N. do T.

nosso raciocínio sobre as complexidades do futuro ambiente de segurança e no caráter mutante do conflito. Diversos indivíduos e instituições ajudaram a organizar mesas redondas para criticar rascunhos ou aprofundar vários aspectos, entre eles dr. Geoff Dabelko do Wilson Center, dr. Greg Treverton do RAND[4], Sebastian Mallaby do *Council on Foreign Relations*, Carlos Pascual da *Brookings*, dr. Michael Austin da AEI, professor Christopher Layne da Universidade Texas A&M, professor Sumit Ganguly da Universidade de Indiana e dr. Robin Niblett e Jonathan Paris da *Chatham House* de Londres. Professor John Ikenberry da *Princeton's Woodrow Wilson School* organizou diversas oficinas de proeminentes estudiosos de relações internacionais, ajudando-nos com as mudanças das tendências geopolíticas. Duas oficinas – uma organizada pelo professor Lanxin Xiang e sediada na CICIR[5], em Pequim, e a outra organizada pelo dr. Bates Gill e sediada na SIPRI[6], em Estocolmo – foram particularmente importantes na reunião de perspectivas internacionais sobre desafios estratégicos que o mundo enfrenta.

Dentro do governo dos EUA, nosso agradecimento especial vai para Julianne Paunescu do Escritório de Inteligência e Pesquisa (INR, na sigla em inglês) do Departamento de Estado. Ao nos ajudar a cada passo do caminho, ela e sua equipe cumpriram seu objetivo de levar informações da comunidade de inteligência aos especialistas não governamentais de maneira única. Marilyn Maines e seus especialistas da NSA[7] forneceram conhecimento técnico essencial sobre S&T e organizaram oficinas com a *Toffler Associates* para estudar mais profundamente as tendências futuras. A equipe de Análise e Produção da NIC, inclusive a ajuda editorial de Elizabeth Arens, forneceram apoio essencial.

4. Organização não governamental americana que atua há mais de 60 anos na produção de pesquisas e desenvolvimento estratégicos para tomadores de decisão – N. do T.
5. China Institute of Contemporary Inernational Relations – N. do T.
6. O Stockholm International Peace Research Institute é um dos principais centros de pesquisa suecos, cujo objetivo é a analise de conflitos em busca do estabelecimento da paz – N. do T.
7. Agencia Nacional de Segurança. Constituída em 1952, a NSA é responsável pela inteligência obtida a partir de códigos e/ou sinais, inclusive interceptação e criptoanálise – N. do T.

Sumário

Boxes

A Hegemonia Ameaçada

Heródoto Barbeiro[8]

Finalmente, o governo dos Estados Unidos encontrou as armas de destruição em massa que justificaram a invasão do Iraque. Foram encontradas em 2008 no próprio quintal americano, no dizer de um banqueiro. Elas eram as hipotecas subprime e todos os derivativos associados a elas que deram início à grande crise financeira que rapidamente se espalhou e atingiu todos os países do mundo. Uma bomba atômica, da maior potência que tivesse, não poderia ter sido tão impactante. Os prejuízos são contabilizados em trilhões de dólares, as taxas de juros caíram para o nível mais baixo da história americana e ícones do capitalismo americano estão à beira da falência, como a GM que foi a maior empresa do mundo. Hoje é um símbolo de desemprego, tecnologia atrasada e superada mundialmente pela Toyota. Um quadro que os analistas contratados pela Central de Inteligência Americana não tinham se quer imaginado na edição do relatório anterior. O desafio para Barak Obama e o partido democrata é imenso, e talvez a crise apresse processos em andamento como a multilateralidade e o despontar de outras potências que possam se aproximar do poderio americano, absoluto desde a desintegração da União Soviética, na década de 1980. Quando a CIA elaborou este último relatório a crise ainda não tinha chegado as profundezas que chegou, nem Barak Obama tinha tomado posse como o primeiro presidente negro dos Estados Unidos e desalojado os republicanos

8. Heródoto Barbeiro é jornalista da CBN/TV Cultura.

do poder. Israel não tinha retaliado desproporcionalmente os palestinos da Faixa de Gaza que desestabilizou um equilíbrio fugaz negociado a duras penas no Oriente Médio, nem os países latino-americanos, Cuba incluso, tinham se reunido na Bahia em uma espécie de OEA sem os americanos. Nem por isso o relatório deixa de ser uma visão estratégica do futuro e dá indicações de como é possível manter a hegemonia mesmo com tanta conturbação. É verdade que o relatório é reapresentado periodicamente com novas visões e serve apenas como um balizador para onde os Estados Unidos querem ir, mas necessariamente não irão. No relatório anterior editado no Brasil pelo Publisher Marcos Torrigo, e apresentado por mim, não havia a certeza deste atual do reconhecimento que está surgindo um sistema global multipolar com a emergência de Índia, China, Rússia e outros. Em 2025 o modelo econômico ocidental pode ser substituído pelo modelo chinês em várias regiões do mundo, o que vai determinar o crescimento de capitalismo de estado e não a abertura total que União Européia e Estados Unidos almejam. O relatório reconhece o crescimento da China e a importância que terá no mundo, mas aponta como fator desafiante da ordem ocidental a Rússia por não estabelecer um sistema político realmente democrático e que continuará cavalgando no seu poder militar acumulado e aperfeiçoado ainda na época da União Soviética. O fluxo de riquezas relativas vai continuar migrando para a Ásia, geradora de novos empreendimentos tanto com os capitais oriundos do Ocidente, como os locais.

Que caminhos vai tomar a globalização depois da crise financeira de 2008? Pode sofrer um retrocesso ou vai assumir uma nova configuração uma vez que o processo histórico já está destravado e não há como impedir que continue com suas mudanças. O globalismo foi considerado como o sistema econômico capaz de gerar um bem estar mundial até então inimaginável. Um dos exemplos é o acesso de populações miseráveis a condição mínima de consumo, o que provocou um aumento extraordinário na produção de alimentos, minérios e outras matérias primas. Quem não ouviu falar da marcha dos comedores de carne na China? Milhões de pessoas descobriram que carne de frango é apetitosa e tinham poder de compra. Foi um boom no setor. A ideologia da globalização, gestada nas últimas décadas do século passado, em nada se parece com outros períodos da história onde ocorreu o desenvolvimento do comércio internacional, por isso é um equívoco achar que a globalização começou com as grande navegações marítimas dos Séculos XV e XVI. São estruturas e conjunturas tão diferentes. A premissa básica da globalização, segundo Henry Kissinger, ex-secretário de estado dos Estados Unidos, é que a competição selecionará o mais eficiente, um processo que, por definição, envolve vencedores e perdedores. A indústria automobilística americana é o exemplo mais evidente. O novo relatório reconhece que a América vai ter suas capacidades econômicas e militares enfraquecidas e isto vai determinar, mais do que no passado, a escolha entre prioridades internas e a política internacional. Contudo, o fator determinante vai ser a inovação tecnológica fundamental para se atingir as metas dos diversos países, mas também um fator primordial para os que estarão em melhor condição de impor a sua política ao mundo. Daí o esforço para o combate à pirataria, roubo de patentes e idéias, respeito à propriedade intelectual, concorrência selvagem, uma vez que os avanços nesse setor podem provocar quebras de paradigmas e a mudança de modelos de negócios que podem destruir empreendimentos de bilhões de dólares, desempregar milhares de pessoas em velocidade como nunca se viu no passado. Deve também erguer novos e gigantescos complexos econômico-financeiro-tecnológicos não necessariamente na região onde outros fecharam. Na internet é possível comprar por menos de 500 reais uma pequena parabólica e um decodificador chinês que possibilita acesso a mais de 500 canais, inclusive os fechados, que normalmente são cobrados dos assinantes.

Os caminhos da globalização seguiram as diretrizes de Washington nos últimos 20 anos e se aprofundaram durante o governo republicano de George W. Bush. Os países europeus importaram trabalhadores não qualificados do terceiro mundo, enquanto os seus nacionais ocupavam os cargos mais bem remunerados. Já os Estados Unidos tinham passado por essa atração de imigrantes na década de 1970 e 80 e, por isso, pisou fundo na política de impedir que eles continuassem chegando ao seu território, uma vez que não eram mais necessários. Portanto saíram à caça dos ilegais expulsando-os em grande quantidade e erguendo barreiras nas fronteiras e até mesmo um muro para que os mexicanos, agora indesejáveis, continuassem vindo para a América. Na Europa, esse freio foi seguido de manifestações nacionalistas e até mesmo racistas contra aqueles que tinham sido atraídos para fazer os piores serviços. O desenvolvimento da tecnologia da informação deu condições para que as empresas transnacionais, especialmente as americanas, ficassem conectadas 24 horas com suas filiais no mundo, e com as instituições de créditos globais, e isto fez com que elas rompessem as barreiras nacionais aproveitando-se da imensa liberdade de transferência de capitais de um lado para o outro, sem o controle dos bancos centrais locais. O fluxo de capital aumentou assustadoramente na primeira década do Século XXI, alavancado pelos empréstimos e jogos especulativos com a entrada e saída do que convencionou chamar de capital-motel, isto é, de curta permanência. Era investir, ganhar com taxas de juros altas dos emergentes, realizar o lucro e remetê-lo imediatamente para plagas mais seguras. Com isso essas nações passaram a ter um equilíbrio pífio de suas contas correntes, não raro acumulando déficits cobertos com empréstimos externos. O governo americano empenhou-se vigorosamente em estimular o livre comércio e a livre circulação de capitais. O efeito disso foram as crises que atingiram o México em 1994, a Ásia em 1997, a Rússia e o Brasil em 1998. Nem mesmo a ação das empresas internacionais de rating foram suficientes para desestimular os investimentos em especulação desenfreada e a subestimação do risco. As taxas altíssimas de juros eram mais fortes do que a ameaça de risco sistêmico. Os gestores mais bem pagos das empresas de investimento eram aqueles que eram capazes de vislumbrar os melhores negócios e os menores sinais de risco para retirarem seus capitais. O Estado, enfraquecido pela ideologia do ultra liberalismo, assistiu a tudo passivamente.

O ex-secretário de Estado, Henry Kissinger não vê a posição dos Estados Unidos como confortável no mundo globalizado e propõe que os limites da segurança americana à globalização devem ser estabelecidos segundo uma perspectiva nacional, em vez de ficarem a cargo de grupos de pressão, lobistas e a política nacional. O próximo governo, leia-se Barak Obama, deveria estabelecer uma comissão bipartidária de mais alto nível para avaliar o que se constitui em uma base industrial e tecnológica estratégica para os Estados Unidos, e estudar medidas para preservá-las. Uma das maiores prioridades de tal comissão deveria ser uma análise profunda do sistema educacional que cria um número insuficiente de engenheiros e tecnólogos em relação aos Estados Unidos. O critério deveria se aquilo que é essencial para a segurança nacional e não para proteger as empresas da concorrência essencial para o crescimento global. Todavia crescer não quer dizer necessariamente gerar novos empregos, e o novo relatório reconhece que as áreas mais instáveis do mundo serão aquelas onde for predominante o número de jovens em busca de trabalho e oportunidade. Nessas regiões os estados ficarão mais frágeis e com isso outras organizações, legais ou não, poderão contar com um exército de reserva imenso para os seus propósitos, sejam quais forem, das seitas fundamentalistas radicais, ao tráfico de droga, prostituição, tráfico de armas, crime organizado, etc. Em 2025 a população do planeta será de 7 bilhões e meio de pessoas, e isto colocará cada vez mais as reservas de energia, água, alimentos e matérias primas em geral no rol da escassez. Segundo uma ONG que avalia o que se retira hoje da natureza, o ser humano já usa uma vez e meia do que o planeta é capaz de produzir de água a minério de ferro. Até 2025, a tendência de se usar mais recurso vai aumentar de tamanho e de velocidade e isso preocupa os que realmente olham para a futura sobrevivência da Terra. Cada vez mais pessoas querem ter um mínimo de condição de vida e de consumo que não tiveram até agora, mas será que o sistema atual vai conseguir distribuir o excesso de um lado para a escassez de outro? Quem pode impedir um ser humano de almejar ter um teto, uma roupa digna e uma comida melhor? Quem vai impedir a marcha dos chineses comedores de carne de frango?

A política americana tem como meta manter os Estados Unidos no centro econômico do planeta ainda que haja o fortalecimento da União Européia e uma incrível aliança asiática de China, Coréia do Sul e Japão para equilibrar os efeitos da crise que começou nos Estados Unidos. Uma aliança impensável quando do relatório anterior. Há cinco anos ninguém se arriscaria a afirmar que seria possível uma aproximação entre os países asiáticos, que mantém uma rivalidade histórica profunda, mas que se dobra diante de uma ameaça maior que é o desmantelamento de suas economias nacionais. Mesmo a hostilidade Beijing/Taipe atenuou-se muito e não se fala mais que o exército vermelho vai atravessar o braço de mar e invadir Taiwan. Basta ver como Hong Kong sobrevive no continente chinês. A bolsa local é um dos três mais importantes indicativos do mercado e o mundo todo acompanha o fechamento diário do índice Hang Sen. O Velho Timoneiro deve estar dando voltas no mausoléu da Praça da Paz Celestial. A perda de credibilidade do governo republicano de Bush abriu possibilidades para que a Europa inicie um processo de liderança na definição de uma governança financeira global. Ninguém desconhece, nem mesmo os cidadãos comuns, que o estouro da bolha imobiliária nos Estados Unidos gerou os grandes prejuízos para aqueles que adquiriram títulos lastreados em hipotecas. E os que não compraram coisa nenhuma e estão escanteados nos confins do mundo também foram atingidos. Um raio caiu em suas cabeças, mas não sabem de onde. Portanto o atual relatório da CIA aponta um desafio que vai testar a plataforma de mudança do presidente Barak Obama, que pode dar uma mostra do que serão os próximos anos através da personalização ou não da política externa americana. Obviamente, quem não quer ter o seu nome ligado a um período dessa política externa? Pergunte a Franklyn Roosevelt e John Kennedy, mas os que os sucederam não conseguiram gravar os seus nomes, ou porque a conjuntura histórica não foi favorável ou porque essa política fracassou. George W. Bush teve uma excelente chance nesse campo quando, depois do desastre das Torres Gêmeas, desenvolveu uma política anti-terror que fracassou no Iraque e no Afeganistão. Hillary Clinton, crítica da politica externa de Bush vai dar o tom do grau de personalização da politica externa. Esta não é, aparentemente, uma época para carismas como no passado. Vale o poder e o respeito ao poder. Até que ponto o governo Obama vai falar alto como fez Bush com a Coréia do Norte, Irã e Rússia? Em política externa, dizem os antigos chineses, não se pode perder "face", ou seja, não se pode ameaçar ou pressionar se não tiver um arsenal à disposição. Uma linha dura retórica precisa ser sustentada com confrontação e não com discursos apenas. Portanto, deve valer a afirmação de Obama no discurso da vitória em Chicago que os amigos serão tratados como amigos e os inimigos como inimigos, a impressão que se teve é que não haverá meio termo neste governo. Outra questão relevante é se os Estados Unidos vão lançar mão de aliados como a União Européia, como ocorreu nos dois últimos anos em relação ao Irã e mesmo à Península Balcânica, o que alguns críticos denominaram de terceirização da liderança. Dizem que com isso há perda de poder, uma vez que não é a mesma coisa do que confrontar o gigante americano. Outro grande desafio do atual governo é ganhar apoio multilateral para as políticas liderados pelos Estados Unidos, mas será que isso é desejável e mesmo essencial na perspectiva do governo Obama? O que vai acontecer com o Iraque quando as tropas americanas saírem de lá como foi prometido na campanha? O que sobrará dos bilhões de dólares gastos pela mais poderosa máquina de guerra jamais vista na história da humanidade? O auge do fracasso da campanha certamente se traduziu na sapatada que o jornalista iraquiano deu em Bush em plena entrevista coletiva em Bagdá. O que vai sobrar do governo no meio de uma verdadeira guerra civil religiosa com interferências externas do Irã, o desafiador da preponderância americana na Ásia Menor? Já se fala de uma força residual depois da retirada das tropas para dar sustentação ao atual governo, mas se o conflito interno se acirrar certamente será insuficiente para o que os americanos entendem de caminho iraquiano para a democracia. Em outras palavras, Barak Obama, certamente, está diante de um dos desafios de liderança mais difíceis que um presidente americano já enfrentou. Há analistas que sustentam que a saída do Iraque é mais difícil do que a retirada do Vietnã e talvez custe mais de um mandato do atual presidente. Recuar no sudeste asiático significou deixar um território para a implantação do comunismo, que o tempo se encarregou de liquidar. Já no Iraque, sair significa abandonar uma das fontes de abastecimento de petróleo e fragilizar os aliados da região, entre eles o reino conservador e autocrático da Arábia Saudita. Fechamento das prisões secretas da CIA e da base de Guantánamo podem não ser suficientes para restaurar a imagem dos Estados Unidos em boa parte das regiões hostis. O mundo todo comprovou que a guerra contra o terrorismo tem os seus escândalos públicos e internacionais. Por isso liberais exigem que o novo governo faça uma investigação rigorosa sobre os que torturaram prisioneiros. É, dizem, uma forma de recuperar a reputação perdida no exterior e se posicionar de uma forma melhor ante as regiões hostis do mundo, que se multiplicaram depois da represália ao 11 de setembro de 2001. Não surtiu efeito submeter islamitas suspeitos de terrorismo a correntes, posições de estresse, confinamento solitário, exposição a temperaturas altíssimas, música alta e luzes estroboscópicas como em uma macabra danceteria de Nova York que apenas toca o que de pior existe na música pop. O governo Bush esqueceu que é signatário da Convenção da ONU Contra a Tortura e que ele pode ser processado e impedido de sair do seu país sob o risco de passar pelo vexame que passou o ditador chileno Augusto Pinochet na Inglaterra e processado pelo juiz espanhol Baltazar Garzon. A liberdade de imprensa nos Estados Unidos escancarou os métodos cruéis e desumanos que levaram alguns prisioneiros ao suicídio ainda que contra a doutrina do Islã.

O novo relatório não descarta a execução de novos atentados em 2025 apesar dos esforços internacionais para impedi-los, e as tecnologias mais eficientes estarão ao seu alcance como armas químicas, biológicas e até mesmo nucleares, daí o temor mundial que o Irã tenha condições de adquirir o ciclo completo do urânio. Nenhum organismo internacional, inclusive a ONU, se arrisca a dizer que poderá impedir essas ações terroristas e o exemplo mais atual é que não se consegue sequer impedir a ação de piratas no Oceano Índico, que seqüestram navios e exigem resgates. Essa pirataria remete o mundo ao Século XVI quando a esquadra de Cabral cruzou o oceano para implantar o império português no oriente. Se não fosse real se poderia pensar que o noticiário seria apenas uma pegadinha para o lançamento de mais um filme da série Piratas do Caribe. Mas não é.

Sair do Iraque pode significar dar espaço para a influência iraniana na região já constatada pela CIA e órgãos militares. O noticiário movimenta a opinião pública que pressiona o governo, e quem se lembra dos momentos que antecederam a entrada dos Estados Unidos na primeira e segunda guerras mundiais sabe o que isso significa. Para muitos americanos médios o Irã tem ligação com o atentado terrorista contra as Torres Gêmeas e o definem com uma derrota mais contundente do que o ataque de Pearl Harbour em 1941. O imaginário americano trocou a Líbia pelo Irã como base do terrorismo no mundo. De outro lado, o departamento de estado sabe que o Irã tem forças armadas de 800 mil homens, aviões e navios de guerra e uma revolução em curso que elegeu os Estados Unidos como a encarnação do Demo. Há um componente ideológico/religioso forte para defender o país, coisa que não foi notada na invasão do Iraque, um passeio militar para derrubar um fanfarrão tão convincente que até mesmo os serviços secretos acreditaram que Saddan tinha mesmo as armas de destruição em massa que dizia ter, e que a ONU negava sistematicamente. Um vexame estratégico e logístico ainda que o conflito tenha proporcionado para o complexo industrial militar um amplo campo de provas e eficiência de novos armamentos. O inimigo miserável e faminto não merecia tanto. Treinamento, armas e dinheiro são as contribuições que vêm de Teerã para Bagdá. Certamente, até 2025 o controverso plano atômico iraniano vai estar resolvido, de um jeito ou de outro. Ou o regime dos aiatolás deslancha o programa e se converte em mais uma potência nuclear no mundo, com bomba atômica e tudo o mais que acha que tem direito, ou vai parar em algum momento com ou sem sanção militar. Os americanos têm um olho no Afeganistão e outro no Irã e o corpo todo em defesa de Israel; e aparentemente o governo de Obama não vai mudar em relação a Israel e como se sabe o regime iraniano contesta a existência do estado judeu. Um indicador de que a política americana muda é que durante o ataque contra a Faixa de Gaza o Conselho de Segurança, mais uma vez, não pode pressionar diretamente os israelenses porque os americanos vetaram. Há um bloqueio de parte das potências para fornecer equipamentos ao Teerã que possam dar um upgrade no programa nuclear, e até a escavação de túneis em Teerã foi vetada a empresas européias sob o temor de que túneis são locais ideais para o desenvolvimentos de fábricas secretas seja lá do que for. A crise na Ossétia do Sul, em 2008, é uma mostra de que o domínio ocidental, que começou na segunda metade do Século XIX com Grã Bretanha e França, depois Alemanha, Estados Unidos e outras nações, não é mais pacífico. A Rússia defendeu durante a crise com a Geórgia seus interesses nacionais enfrentando os hesitantes reclamos de Washington, o que demonstra uma recomposição do equilíbrio internacional.

O mundo vai ser multipolar? A maioria dos analistas internacionais diz que sim, ainda que profetizar é sempre perigoso. Mas os fatos atuais apontam nessa direção, até mesmo porque a infra-estrutura capitalista é a mesma para todos. Não há mais um choque como na época do imperialismo do final do século XIX onde os choques foram repensáveis por inúmeros conflitos e até mesmo a I Guerra Mundial. A internacionalização amainou o nacionalismo e a conjuntura não é mais a mesma da época dos grandes impérios coloniais exportadores de produtos primários e importadores de manufaturados de suas metrópoles. Não há a limitação de mercado como no passado, as fronteiras são mais permeáveis, o capital se internacionalizou de vez e os preços das commodities são cotados mundialmente. Há também novas variáveis no meio de tudo isso como o aquecimento global, uma nova variável que atinge a todos, ricos e pobres, e pode ser responsável em 2050 por 150 milhões de refugiados em vários países do mundo quando as terras baixas forem inundadas com o aumento do nível dos mares e oceanos. É verdade que alguns ainda dizem que se isso ocorrer, como no caso do Titanic, quem estiver na primeira classe vai ter mais chance de escapar primeiro nos botes. Já a turma do porão... Os Estados Unidos não estão mais em condições de decidir sozinhos sobre a economia do mundo. Está enterrado até o pescoço em dívidas e um dos credores é a China, que se tornou uma espécie de banqueiro dos americanos. Martine Bulard afirma no *Le Monde Diplomatique-Brasil* que Hong Kong, Cingapura, Coréia do Sul, China e a Ásia já absorve mais da metade da dívida pública americana acumulada no exterior. Até quando o dólar vai ser a moeda preponderante no mundo? Ela não é mais conversível em ouro desde a década de 1970. O dólar se impôs como a hegemonia americana no mundo, uma vez que ela está sendo consolidada seria possível um consenso mundial em busca de uma moeda realmente global? Muitos não acreditaram quando o euro substituiu o franco, marco, lira, peseta, escudo, etc. nem que poderia manter uma paridade mais forte frente ao dólar. No entanto, a moeda européia está cada vez mais forte e aglutinando outras moedas das nações orientais que aderem à União Européia. Isto não quer dizer que o atual sistema de investimentos não afete a todos, e a crise de 2008 foi o maior exemplo quando se descobriu que os derivativos financeiros valiam um quatrilhão de dólares, mais ou menos o equivalente de 20 anos da produção mundial. A CIA diz que sistemas multipolares emergentes são mais instáveis do que os bipolares ou unipolares e a transição para novos sistemas vai estar coalhada de riscos.

A cada relatório que a CIA produz aumenta o espaço dedicado à China e a visão estratégica aponta para um ponto onde deve ocorrer um embate entre as duas potências, mas não necessariamente bélico. Há quem acredite que em três décadas a China estará apta para ultrapassar os Estados Unidos e liderar o planeta. Isto tem acalentado os defensores da multilateralidade como forma de comprometer o gigante chinês e não apenas substituir uma liderança pela outra. Há esperanças de que a China gradativamente avance em direção à construção de uma democracia de modelo ocidental, ainda que em 1989 o poder central tenha colocado um freio nos anseios democratizantes ao esmagar os protestos da Praça da Paz Celestial. Mas todos sabem, especialmente os analistas ouvidos pela CIA, que desde 1978, portanto há 30 anos, o Partido Comunista se reuniu sob a liderança de Deng-Xao-Ping e enterrou o sonho revolucionário do marxismo maoísta. Daí para frente começou a construção de uma economia de mercado com forte participação do Estado e com um crescimento de 10% ao ano. Foi a primeira vez que o Velho Timoneiro deu volta em torno do mausoléu que guarda o seu corpo para visitação pública. Hoje, ao invés do culto da personalidade como nos tempos heróicos, os visitantes compram bugigangas de baixo custo como um relojinho com a cara de Mao Tsé Tung e cujos ponteiros são as suas mãos. Há muito os uniformes-padrão foram trocados por cabelos pintados de vermelho e calças jeans. A China desenvolve o seu próprio modelo de governança e, segundo o pesquisador britânico Marl Leonard, o governo da China é uma ditadura deliberativa, aquela em que os governantes, sempre cooptados dentro do partido, baseiam sua tomada de decisões em uma ampla gama de conselhos de especialistas, insistindo muito mais no aspecto técnico do que no ideológico das coisas. Ele classifica o modelo de ditadura por consenso. Apesar disso, alguns analistas ocidentais não descartam a possibilidade de uma maior liberalização do regime com o desenvolvimento do capitalismo nas estruturas sociais chinesas com o fortalecimento do mercado e de uma classe média que exige mais liberdade política. Aos poucos o "ópio do povo" ou a religião passa por uma abertura nunca vista e os templos, principalmente budistas, são reabertos ou são construídos. Essas transformações apenas complicam ainda mais o enigma chinês que os estrategistas americanos precisam decifrar. Finalmente, a China despertou como disse Napoleão Bonaparte. Para onde for o planeta chinês o mundo vai saber pelas suas conseqüências, segundo o cientista político britânico Timothy Garton-Ash é preciso desejar sorte ao colosso do século XXI, assim como dar as boas vindas a semelhante competição ideológica, porque se a China encontrar outro sistema que satisfaça de forma duradoura as aspirações de seu povo, ou saudaremos com admiração e respeito ou todos sofreremos as conseqüências. Em outras palavras, se a diretiva chinesa caminhar para uma ditadura militar e disposta ao confronto pela hegemonia do planeta, todos estarão em perigo. Ninguém esquece os últimos feitos da ciência nacional em todos os campos, já conseguiram de forma autônoma que seus astronautas caminhem no espaço, e certamente todas essas conquistas tecnológicas devem estar sendo usadas para fortalecer o seu poderio militar. Já o relatório anterior da CIA apontava que a China era o segundo maior investidor mundial no que se convencionou chamar de defesa, mas que são armas de ataque, como todas as outras potências, ainda que gastando 60 bilhões de dólares/ano enquanto os Estados Unidos gastavam 300. O Partido Comunista chinês sabe muito bem que a festa dos 30 anos da reforma é também o marco de como o país contribuiu para a mudança global, e não foi à toa que o presidente Hu Jintao lembrou Deng Xiaoping e não o Timoneiro. Não há lema na política externa chinesa, mas se houvesse certamente seria "a caminho da liderança", parafraseando uma rede de tevê brasileira. Paradoxalmente, esse crescimento seguido à crise financeira abre desafios sem precedentes, como a intranqüilidade social que aumenta nos centros industriais e o governo luta para encontrar uma nova fórmula que preserve a estabilidade e garanta o crescimento e o avanço para se tornar a segunda maior potência do planeta. É bom lembrar que para os chineses o tempo político não tem a mesma medida que tem para o ocidente, e brinca-se que certa vez um jornalista ocidental perguntou a Mao Tsé Tung que avaliação fazia da Revolução Francesa e que o líder teria dito que não podia fazer nenhuma avaliação pois o fato era muito recente...

Todos sabem que uma das colunas do suporte do crescimento da China são as exportações. E elas estão em queda em todo o mundo. O remédio utilizado são as isenções tarifárias para as exportações, a redução do valor da moeda e a baixa remuneração da mão de obra local. Se vai funcionar só o tempo dirá. Desenvolver o mercado interno de um bilhão e trezentos milhões de chineses é outro desafio diante da baixa renda da maioria da população. O tsunami financeiro e econômico, que em outros países foi avaliado apenas como uma marolinha, se abate em um momento de esplendor da nova China a caminho da liderança que foram os inesquecíveis Jogos Olímpicos de Beijing, uma oportunidade que a China não perdeu para mostrar que seria capaz de organizar o maior evento da história e dizer a todos que tem potencial para muito mais. A tevê e a internet se encarregaram de mostrar a quatro bilhões de habitantes do planeta o que os chineses apresentaram. O evento, obviamente, foi utilizado politicamente de dois lados. Um de mostrar força e organização e o outro a oportunidade para que os grupos dissidentes protestassem contra o regime de opressão, sem liberdade de imprensa, de organização partidária. Estes foram pífios e nem mesmo o Dalai Lama deu a colaboração que poderia dar para empanar a festa em Beijing. O setor de pesquisa científica é outro que coloca o Império do Meio na mesa das grandes potências com um investimento de 101 bilhões de dólares, atrás dos EUA com 280, Europa com 199 e Japão com 113. Vale a pena ressaltar que de 2000 a 2005 enquanto os investimentos chineses em pesquisa aumentaram, os das demais nações a sua frente recuaram. E parece que essa tendência deve se manter apesar da crise mundial, o que vai dar à China uma situação de proximidade em 2025 com os Estados Unidos. De cada dez estudantes do planeta, quatro estão na Ásia – dos quais 23, 4 milhões são chineses. Na América são 17, 3 milhões. Há mais cientistas na China do que na Europa e um pouco menos do que nos Estados Unidos. No plano das publicações científicas e patentes a Ásia também avançou muito o que a coloca em vantagem competitiva a médio e longo prazo. E ninguém melhor do que os chineses para planejar estrategicamente a longo prazo.

É possível que nesta nova era do capitalismo global e da liderança americana com a proliferação de armas nucleares haja uma aproximação maior com a Rússia para impedir que o processo se agilize. O Irã e seu programa nuclear é uma das preocupações da CIA e isso passa de um governo para o outro. Hillary Clinton disse na campanha eleitoral que se fosse eleita não hesitaria em varrer o Irã do mapa caso este atacasse Israel. Agora ela é a secretária de estado de Barak Obama. Ele verbalizou o que pensa ou o que defende o Partido Democrata, ou ambos? A saída, segundo especialistas, seria aceitar os fatos concretos, ou seja, os que já possuem bombas atômicas devem ser chamados para uma grande reunião internacional, e envidar esforços para que outros não obtenham armas nucleares. Segundo Sergei Rogov, da Academia Russa de Ciências, a administração de um mundo multipolar e com a extinção das armas nucleares, requer inventar um novo regime de controle de armas. O controle antigo exercido pelas duas super potências e que nasceu na época da Guerra Fria, não funciona mais. O aumento do número de potências nucleares aumenta o risco do uso dessas armas. São nações com pouca experiência na corrida armamentista o que podem quebrar o controle possível. Americanos e russos sabem que a ameaça de uma retaliação nuclear ajuda a impedir um ataque por parte de rivais, mas essas nações avaliam isso? O fracasso total da política externa de George W. Bush é tido como um fato inquestionável com exceção do Kosovo, na capital Pristina, onde foi homenageado com a Rua Bush. Contudo é possível que o período seja lembrado como o momento do embate mais acirrado contra o jihadismo e do despertar de alguns países que avaliaram que o que tinha acontecido em Nova York poderia acontecer por lá. Evidências dessa mudança política é que governos muçulmanos não perderam tempo em modificar a conduta. Alguns proibiram os grupos jihadistas que antes eram tolerados, silenciaram os clérigos extremistas e impediram a entrada em seus países de militantes estrangeiros que antes eram bem-vindos. A questão central é uma administração fracassada. A política externa significa a redução do poder dos Estados Unidos? Há ampla controvérsia entre os especialistas e os mais radicais dizem que é preciso esperar pelo julgamento da História para avaliar corretamente o que ocorreu no governo Bush.

A América Latina, e sobretudo o Brasil, são contemplados pelo relatório da CIA com mais destaque do que o anterior em função das mudanças políticas na região, especialmente com a formação de um grupo de embate frontal contra os Estados Unidos na figuras do venezuelano Hugo Chaves, do boliviano Evo Morales e do equatoriano Rafaela Correa. Há muito tempo não se viam manifestações anti-americanas, qualificadas como imperialistas, como nos últimos cinco anos e ganhando força retórica entre as nações dessa parte do continente e a divulgação de propostas exóticas, como a de Morales, propondo que todos os países latinos retirem seus embaixadores de Washington se o novo governo Obama não suspender o bloqueio econômico a Cuba que vem da época da Guerra Fria e da exportação da Revolução Cubana através da OLAS – Organização Latino Americana de Solidariedade. A atenção do relatório ao Brasil se deve ao modelo econômico implantado no governo Fernando Henrique Cardoso e aprofundado por Luis Inácio Lula da Silva, mas principalmente porque o Brasil está empenhado em consolidar sua incipiente liderança regional, ainda que as reações pipoquem ora no gás boliviano, ora nos quilovates paraguaios, ora na balança comercial com a Argentina. O Brasil tenta construir um espaço sul americano em que se analisem os problemas da região sem a presença americana ou européia, como ocorre em outras organizações regionais. O Brasil se posiciona como o interlocutor dos Estados Unidos na região, com uma posição moderada, sem aderir às teses do histriônico líder venezuelano Hugo Chaves, uma posição surpreendente para um presidente que vem de um partido que defendia radicalmente políticas anti-americanas no passado, mas que no governo Bush ganhou o galardão de melhor amigo dos EUA em um discurso da Condoleeza Rice, secretária de estado do governo conservador e republicano. Ao novo governo americano democrata cabe definir claramente se vai ou não retomar a proposta do governo do também democrata Bill Clinton sobre a implantação da ALCA, o tratado de comércio que Washington tenta ressuscitar na América Latina e qual o impacto que isso vai provocar no MERCOSUL, um órgão praticamente paralisado e que não avança no objetivo de atenuar as tarifas aduaneiras para incentivar o comércio entre os países da região. Ele ganha estatura mais política do que econômica com a entrada da Venezuela o que fortalece a tese de contrapor o regionalismo ao globalismo. Este embate nasceu depois da desintegração da União Soviética e foi o desafio de produzir novas regras para as relações internacionais. O vácuo entre a desmontagem de um sistema e a construção de outro foi ocupado pelos Estados Unidos no que seus críticos classificam de unilateralismo a nova etapa do imperialismo, parafraseando Lênin. É possível até que o caminho fosse sair da bipolaridade para a multipolaridade, mas isso não aconteceu. Os organismos internacionais não conseguiram preencher os espaços e criam fórmulas de debater mundialmente os problemas e a reação foi o regionalismo independente, forma de atenuar os conflitos de interesse. O terceiro mundo, onde estavam as nações latino-americanas, também não resistiu ao fim da bipolarirade e se desintegrou dando origem ou fortalecendo antigas entidades regionais que sempre existiram sobre a hegemonia das potências. A América Latina, como outros países desse grupo, tiveram que enfrentar com suas próprias forças a explosão demográfica, o assalto e a devastação do meio ambiente e o endividamento externo. Contudo, atenuaram o modelo de desenvolvimento nacionalista de substituição da importação e se abriram ao mercado global, ainda que os Estados Unidos sejam o mais importante parceiro. No caso do Brasil, é o primeiro.

A América Latina se aproveitou dos bons preços de suas commodities para comercializá-los nos mercados emergentes com parceiros até então não significantes como Índia, China, África do Sul, Oriente Médio, etc. As diplomacias procuraram novos parceiros de acordo com a orientação política dos seus governos, como a Venezuela, aproximando-se do Irã e Coréia do Norte; e o Brasil com a Índia, China e África do Sul. O novo presidente Obama se comprometeu em mudar a matriz energética do maior consumidor de energia do mundo e os carros de Detroit estão mudando rapidamente dos jipões e caminhonetões para os modestos compactos. Descobriram agora o que os asiáticos já sabiam há uma década, e é possível que a pressão ecológica do evidente aquecimento do planeta forcem os Estados Unidos a eliminar o tempo de adoção de novas tecnologias, ao contrário do que diz o novo relatório. Há uma promessa sólida, por exemplo, para a venda do etanol brasileiro no mercado americano e é possível que em breve o mercado produtor se estenda para a África e outros países da América Latina. É verdade que o relatório aponta pra a obtenção de energia de tecnologia mais sofisticada como a eólica ou foto voltaica, como se faz na Alemanha, onde as residências adaptam coletores solares e a sobra de energia é vendida na rede elétrica pública. Já se fala de carvão limpo e mesmo em um resgate da energia nuclear para a geração de eletricidade; ninguém mais fala em Chernobyl nem Three Mile Island. Certamente, a pressão mundial contra a devastação que sofrem as florestas tropicais vai aumentar, especialmente na Amazônia brasileira, onde o governo Lula se comprometeu com metas de diminuição de gases de efeito estufa provocado pelas grandes queimadas das florestas.

O centro de gravidade político se deslocou para o leste, é uma constatação e não uma previsão. Basta averiguar como a Ásia cresceu política, econômica, militar e financeiramente. Os povos que foram tratados na época das grandes navegações como inferiores, como diz o historiador indiano Panikkar, mostram que são capazes de construir um pólo importante na nova distribuição da força militar do mundo. É um papel inédito da Ásia, assolada pelo imperialismo rapinante que levou o que podia e o que não podia levar garantiu com tratados humilhantes como o de Nanjing no final do Século XIX. Hoje, empresas indianas multinacionais se destacam no mercado global com aço, produtos farmacêuticos, tecnologia da informação, transporte, óleo, gás e de energia nuclear inda que a Índia não seja signatária do acordo de não proliferação de armas atômicas. Curioso é que a venda de produtos nucleares se dá nas barbas do Tio Sam e não há nenhum constrangimento quanto a isso, o que aponta para uma política de fortalecimento de Nova Delhi como forma de contrabalancear Beijing. A impressão que se tem é que a Índia, Brasil e China se tornam progressivamente autônomos dos Estados Unidos, União Européia e Japão, a Tríade. O crescimento, diz Philip Golub, provoca efeitos diretos no funcionamento da economia mundial, reestruturação da divisão internacional do trabalho, deflação de preços de produtos manufaturados sobre uma gama cada vez maior de bens, inflação das matérias primas e, por fim, uma redistribuição do lucro de certas regiões que acumularam imensos excedentes.

Há uma expectativa geral no mundo do que vai acontecer com os órgãos multilaterais. É cada dia mais forte a pressão do Brasil, Índia, México e Indonésia para ter assento no Conselho de Segurança da ONU. Isto é muito mais do que uma simples mudança de estatuto, é o anseio de mudar profundamente a instituição que está congelada desde que foi fundada no pós segunda guerra com apenas uma mudança significativa da saída de China Nacionalista e Chang Kai Chek e a entrada da República Popular da China de Mao Tsé Tung. O que se percebe é a construção de uma nova ordem mundial sob uma nova ordem política e econômica. Os países emergentes abiscoitaram parte da distribuição do produto interno bruto mundial, o que os fortaleceu e deu a sensação de que os Estados Unidos e a Europa tinham empobrecido, ou melhor houve mais distribuição de renda no globo e com isso as relações políticas e econômicas se alteraram. Em outras palavras, há quem defenda a tese de que essas etapas são prévias da evolução do capitalismo rumo à globalização. O neoliberalismo é considerado a ideologia da globalização e o capitalismo a sua ordem. Na crise de 2008 alguns se insurgiram com o apequenamento do estado e responsabilizaram essa política como a grande causadora do descalabro financeiro que começou nos EUA e se estendeu mundo a fora. Alguns até alimentam a volta do estado de bem estar social para atenuar os seus efeitos e impedir novas crises semelhantes. O presidente Lula em discurso público disse que os empresários que pregavam a não intervenção do estado foram os primeiros a pedir socorro a ele, ainda que o presidente tenha classificado a crise como um tsunami para os países centrais e apenas uma marolinha para o Brasil. Segundo Renato Baumann, a globalização financeira corresponde ao crescente volume e velocidade dos recursos que transitam pelo mundo – veja a Bovespa – e à interação desses fluxos com as economias nacionais; comercial que leva à semelhança crescente de demandas e ofertas de bens e serviços em todos os países; e institucional que leva à semelhança crescente dos sistemas nacionais e suas regulações – vide Mercosul e outras entidades regionais. O que vai acontecer com algumas instituições internacionais que ainda resistem ao fim da Guerra Fria? É evidente que os Estados Unidos não pretendem abrir mão da influência que ela ainda gera, mas ela tem demonstrado que além de ter perdido sua importância militar não teve capacidade política para atuar com uma força multinacional e os exemplos mais claros são os do Iraque e do Afeganistão. O eufemismo usado para unir alguns países foi "forças da coalizão" que o mundo todo entendia americanos e britânicos. Este ano ela completa 60 anos e mais uma vez os Estados Unidos não vão abrir mão do posto de comandante supremo aliado na Europa, e para os de casa sobra a secretaria geral, ou seja, não será a morte da OTAN como já anteciparam alguns analistas, nem o fortalecimento e a agressividade demonstrada na época da União Soviética e seus satélites.

Garantir a permanência de um império global requer mais do que vitórias militares, requer a capacidade de ordenar e controlar o ambiente em redor, diz o historiador britânico Eric Hobsbawn. Foi isto que a América conseguiu desde que terminou a II Guerra Mundial e ela foi a única nação do mundo que saiu mais rica do que quando entrou. Aproveitou a oportunidade para se impor em vastas áreas do globo, não com a anexação de terras e regiões, mas com a capacidade de controlá-las política e economicamente. Conseguiu impor o American Way of Life e exportar a sua língua e cultura como nenhum império jamais conseguiu com a força. Da moda à literatura, do cinema ao teatro, da Coca Cola ao jeans, do JP Morgam a GM, do Mc Donnald´s à Pizza Hut a América impôs o seu modo de ser no mundo e mostra interesse seja onde for, mesmo no espaço sideral. O novo governo de Obama prometeu aos americanos algumas tarefas dignas dos trabalhos de Hércules: cortar impostos para todos, menos para os ricos; tornar o país independente em fontes de energia; universalizar o serviço público de saúde; alterar o sistema tributário e reformar a educação. O cenário em que essas tarefas deverão ser perseguidas é apresentada no atual relatório da CIA ainda que o novo governo não chegue até lá, mas avançar nessas metas é vital para a manutenção da hegemonia americana no mundo para que as previsões se confirmem. O atual relatório certamente aponta um norte ainda que ninguém possa afirmar decisivamente se ele vai ou não se efetivar. Vale a pena ler o relatório e refletir sobre os rumos da nação mais poderosa do mundo e que conseqüências essas metas vão trazer para toda humanidade. Por volta de 2025 os Estados Unidos se perceberão apenas como um dos atores importantes do palco mundial, diz a CIA. As tendências avaliadas sugerem grandes descontinuidades, choques e surpresas entre elas armas nucleares ou uma pandemia. Vai mais além o atual relatório quando se arrisca a afirmar que o elemento surpresa é apenas uma questão de tempo, em outras palavras, já está armado e é inevitável que ocorra.Veja a seguir o relatório que é incisivo ao afirmar que embora os Estados Unidos devam continuar sendo o mais poderoso ator em termos individuais, a força relativa do país – mesmo em termos militares – declinará e o poder de alavancagem americano se tornará menor.

Heródoto Barbeiro
Jornalista TV Cultura/CBN
(www.herodoto.com.br)

A PAISAGEM GLOBAL EM 2025	
Certezas Relativas	**Impacto Provável**
Um sistema global multipolar está surgindo com a emergência da China, Índia e outros. O poder relativo de atores que não são Estados - negócios, tribos, organizações religiosas e mesmo redes criminosas - também aumentará.	Por volta de 2025, uma única "comunidade internacional composta de Estados-nações não existirá mais. O poder ficará mais disperso entre os novos jogadores trazendo novas regras para o jogo, enquanto aumentarão os riscos de as alianças ocidentais tradicionais enfraquecerem. Em lugar de seguir os modelos ocidentais de desenvolvimento político e econômico, mais países podem ser atraídos pelo modelo alternativo chinês de desenvolvimento.
A migração sem precedentes da riqueza relativa e do modelo econômico do Ocidente para o Oriente, a qual já está acontecendo, continuará.	Conforme alguns países se tornam mais seguros do seu bem estar econômico, os incentivos à estabilidade geopolítica poderão aumentar. Entretanto, a transferência está fortalecendo Estados como a Rússia, a qual quer desafiar a ordem ocidental.
Os EUA continuarão a ser o país mais poderoso, mas serão menos dominantes.	A diminuição das capacidades econômicas e militares pode levar os EUA a uma mudança de atitude entre as prioridades domésticas e a política internacional.
O crescimento econômico contínuo - incrementado por um aumento populacional de 1,2 bilhões de pessoas por volta de 2025 - colocará pressão nas reservas de energia, alimentos e água.	O ritmo na inovação tecnológica será chave para os resultados durante esse período. Todas as tecnologias atuais são inadequadas para substituir a arquitetura energética tradicional na escala necessária.
O número de países com populações jovens no "arco de instabilidade"* diminuirá, mas as populações de diversos Estados com grande população jovem devem permanecer em trajetórias de crescimento rápido.	A não ser que as condições de emprego mudem dramaticamente em Estados com grande população de jovens, como o Afeganistão, Nigéria, Paquistão e Iêmen, esses países continuarão a tender para a instabilidade e a falência do Estado.
O potencial para o conflito aumentará devido a rápidas mudanças em partes do Oriente Médio e à disseminação de capacidades letais.	A necessidade de os EUA de agir como equilibrador regional no Oriente Médio aumentará, embora outras potências - Rússia, China e Índia - terão papel maior do que têm hoje.
O terrorismo não deve desaparecer por volta de 2025, mas seu apelo pode diminuir se o crescimento econômico continuar no Oriente Médio e o desemprego entre os jovens for reduzido. Para os terroristas que estiverem ativos, a difusão de tecnologias colocará capacidades perigosas ao seu alcance.	A oportunidades de atentados terroristas com mortes em massa usando armas químicas, biológicas ou, menos provável, nucleares, aumentará conforme tecnologias são difundidas e os programas de energia nuclear (e possivelmente armas nucleares) se expandem. As conseqüências psicológicas e práticas de tais atentados irão se intensificar em um mundo cada vez mais globalizado.

* Países com estruturas etárias jovens e com rápido crescimento populacional marcam um "arco de instabilidade" que cresce cada vez mais a partir da região andina da América Latina, da África ao sul do Saara, do Oriente Médio e do Cáucaso à região norte do Sul da Ásia.

Incertezas-chave	Conseqüências em Potencial
Se uma transição energética para combustíveis outros que petróleo e gás – apoiada por estocagem de energia melhorada, biocombustíveis e carvão limpo – estará completa até 2025.	Com preços de gás e petróleo elevados, grandes exportadores como a Rússia e o Irã irão aumentar substancialmente seus níveis de poder nacional, com o PIB da Rússia se aproximando do PIB do Reino Unido e da França. Uma queda sustentável nos preços, provocada talvez por uma mudança para novas fontes de energia, poderá provocar no longo prazo um declínio para os produtores enquanto jogadores globais e regionais.
A rapidez com que acontece a mudança climática e os locais onde seu impacto será mais pronunciado.	A mudança climática deve exacerbar a escassez de recursos, particularmente de água.
Se o mercantilismo voltará e os mercados globais irão retroceder.	Um mundo de nacionalismo de recursos aumenta o risco de confronto entre as grandes potências.
Se avanços em direção à democracia irão ocorrer na China e na Rússia.	O pluralismo político parece menos provável na Rússia na ausência de diversificação econômica. Uma classe média crescente aumenta a chance de liberdade política e de maior nacionalismo na China.
Se os temores regionais com relação a um Irã que detém armas nucleares provocará uma corrida armamentista e uma maior militarização.	Episódios de conflitos de baixa intensidade e de terrorismo tendo lugar sob um guarda-chuva nuclear poderão levar a uma escala indesejada de maiores conflitos.
Se o grande Oriente Médio se tornará mais estável, especialmente se o Iraque se estabilizar, e se o conflito árabe-israelense for resolvido pacificamente.	A turbulência deve aumentar sob a maioria dos cenários. Um novo crescimento econômico, um Iraque mais próspero e a solução da disputa palestino-israelense podem proporcionar alguma estabilidade, ao mesmo tempo em que a região lida com um Irã mais forte e a transição global para outras fontes de energia que não sejam petróleo e gás.
Se a Europa e o Japão irão superar os desafios sociais e econômicos causados ou compostos pela demografia.	A integração bem sucedida das minorias muçulmanas na Europa poderá expandir o tamanho da força de trabalho produtiva e evitar uma crise social. A falta de esforço por parte da Europa e do Japão para mitigar os desafios demográficos pode levar a um declínio no longo prazo.
Se as potências globais trabalharão com instituições multilaterais para adaptar suas estruturas e resultados ao cenário geopolítico transformado.	As potências emergentes mostrarem ambivalência com relação a instituições globais como a ONU e o FMI, mas isso poderia mudar, conforme elas se tornam jogadores maiores no palco global. A integração asiática pode levar a um fortalecimento das instituições regionais. A OTAN enfrentará desafios difíceis para responder às crescentes responsabilidades longe da sua área de atuação com o declínio das capacidade militares européias. As alianças tradicionais irão enfraquecer.

Sumário Executivo

O **sistema internacional** - conforme construído depois da Segunda Guerra Mundial - será praticamente irreconhecível por volta de 2025 devido à ascensão das potências emergentes, uma economia globalizada, uma transferência histórica da riqueza relativa e do poder econômico do Ocidente para o Oriente e devido à crescente influência de atores que não são Estados. Ao redor de 2025, o sistema internacional será **global** e **multipolar** com lapsos de poder nacional[9] continuando a diminuir entre os países desenvolvidos e em desenvolvimento. Além da mudança de poder entre as nações-Estados, o poder relativo de diversos atores que não são Estados - como empresas, tribos, organizações religiosas e redes criminosas - deverá aumentar.

Os jogadores estão mudando, assim como o escopo e a distância de temas transnacionais importantes para a prosperidade global continuada. As populações que estão envelhecendo no mundo desenvolvido; aumento da escassez de energia, alimentos e água; e preocupações sobre a mudança climática irão limitar e diminuir o que ainda será historicamente uma época de prosperidade sem precedentes.

Historicamente, sistemas multipolares emergentes são mais instáveis do que os bipolares ou unipolares. Apesar da recente volatibilidade financeira -

9. A classificação das potências nacionais, computada pelo modelo de computador International Futures, são produtos de um índice combinando os fatores com peso de PIB, gastos com a defesa, população e tecnologia.

que poderá acabar acelerando muitas das tendências em curso – não acreditamos que estamos indo em direção a um esgotamento completo do sistema, como ocorreu em 1914-1918 quando uma fase inicial da globalização parou. Não obstante, os próximos vinte anos de transição a um novo sistema estão repletos de riscos.

Rivalidades estratégicas devem ser resolvidas através do comércio, investimentos, inovação tecnológica e aquisição de tecnologias, mas não podemos prever um cenário semelhante ao do século XIX, com corrida armamentista, expansão territorial e rivalidades militares.

É uma História sem **resultado claro**, conforme ilustrado por uma série de vinhetas que usamos para mapear futuros divergentes. Embora os EUA devam continuar sendo o mais poderoso ator em termos individuais, a força relativa do país – mesmo em termos militares – declinará e o poder de alavancagem americano se tornará menor. Ao mesmo tempo, a extensão do desejo de outros atores para assumir maiores responsabilidades globais – tanto Estados como não-Estados – ainda não está clara. Os líderes políticos e o público terão de confrontar uma crescente demanda por cooperação multilateral quando o sistema internacional for tensionado pela transição incompleta da velha ordem para uma ordem ainda em formação.

O crescimento econômico impulsionando a ascensão de jogadores emergentes

Em termos de tamanho, velocidade e fluxo direcional, a transferência da **riqueza mundial e poder econômico** agora em curso – basicamente do Ocidente para o Oriente – é sem precedentes na História moderna. Essa mudança deriva de duas fontes.

Primeiro, o aumento dos preços do petróleo e de commodities tem gerado lucros inesperados para os Estados do Golfo Pérsico e para a Rússia. Segundo, custos mais baixos combinados com políticas governamentais mudaram o lócus de manufatura e alguns serviços industriais para a Ásia.

As projeções de crescimento para o Brasil, Rússia, Índia e China (os BRICS)[10] indicam que eles irão alcançar coletivamente a parcela original dos G7[11] do PIB global por volta de 2040-2050.

A **China** deverá ter mais impacto no mundo nos próximos 20 anos do que qualquer outro país. Se as tendências atuais persistirem, por volta de 2025 a China terá a segunda maior economia do mundo e será uma potência militar. Também poderá ser o maior importador de recursos naturais e o maior poluidor. A **Índia** provavelmente continuará a ter crescimento econômico relativamente rápido e lutará por um mundo multipolar no qual Nova Déli será um dos pólos. A China e a Índia devem decidir o quanto desejam e são capazes de assumir maiores papéis globais e como uma se relacionará com a outra. A **Rússia** tem potencial para se tornar mais rica, mais poderosa e mais proeminente em 2025, se ela investir em capital humano, expandir e diversificar sua economia e se integrar aos mercados globais. Por outro lado, a Rússia poderá ter um declínio significativo se não tomar essas medidas e se os preços de petróleo e de gás continuarem em US$ 50-70 por barril. Projeta-se que nenhum outro país irá ascender ao nível da China, Índia e Rússia e nenhuma nação deve rivalizar sua influência global individual. Esperamos, porém, testemunhar o crescimento do poderio econômico de outros países – como Indonésia, Irã e Turquia.

Em grande parte, a China, a Índia e a Rússia não estão seguindo o modelo liberal do Ocidente para seu desenvolvimento, mas usando um modelo diferente, o "**capitalismo de Estado**". O capitalismo de Estado é um termo um tanto impreciso usado para descrever um sistema de gerenciamento econômico que confere um papel proeminente ao Estado. Outras potências emergentes – Coréia do Sul, Taiwan e Cingapura – também usaram o capitalismo de Estado para desenvolver suas economias. No entanto, o impacto da Rússia, e particularmente da China, ao seguirem esse caminho é potencialmente muito maior devido

10. O acrônimo BRIC foi criado pelo economista Jim O'Neill em 2001 para designar os quatro principais países emergentes, ou seja, Brasil, Rússia, Índia e China – N. do T.
11. Grupo formado pelos sete países mais desenvolvidos do mundo, EUA, Japão, Alemanha, Reino Unido, França, Itália e o Canadá – N. do T.

ao seu tamanho e abordagem à "democratização". Continuamos otimistas com relação às perspectivas de *longo prazo* para uma **maior democratização,** mesmo apesar de os avanços tenderem a ser lentos e a globalização estar minando as instituições liberais de muitos países recentemente democratizados que enfrentam pressões sociais e econômicas.

Muitos outros países retrocederão ainda mais em termos econômicos. A **África ao sul do Saara** continuará a ser a região mais vulnerável à degradação econômica, tensões populacionais, conflito civil e instabilidade política. Apesar da grande demanda de commodities os quais a África ao sul do Saara será um importante fornecedor, as populações locais não devem ter ganhos econômicos significativos. Lucros inesperados advindos de aumentos continuados nos preços dos commodities podem ajudar a fixar governos corruptos ou mal equipados em diversas regiões, diminuindo a perspectiva de reformas democráticas e mercadológicas. Embora muitos dos maiores países da **América do Sul** terão se tornado potências de renda média por volta de 2025, outros, particularmente países com a Venezuela e a Bolívia, os quais abraçaram políticas populistas por um período prolongado, ficarão para trás – e alguns, como o Haiti, se tornarão ainda mais pobres e menos governáveis. De forma geral, a América Latina continuará atrás da Ásia e de outras áreas de rápido crescimento em termos de competitividade econômica.

A Ásia, África e América Latina serão responsáveis por virtualmente todo o **crescimento populacional** nos próximos vinte anos. Menos de 3% do crescimento irá ocorrer no Ocidente[12]. A Europa e o Japão continuarão a manter a grande distância entre eles e as potências emergentes, como a China e a Índia, em termos de riqueza per capita, mas terão de se esforçar para manter taxas de crescimento robustas porque o tamanho das suas populações economicamente ativas irá diminuir. Os EUA serão uma exceção parcial ao aumento das populações de idosos no mundo desenvolvido porque o país irá ter maiores

12. "Ocidente" é aqui entendido como a Europa Ocidental, os EUA e o Canadá. Um sentido mais abrangente do termo inclui também a Austrália, a Nova Zelândia e até mesmo o Japão – N. do T.

índices de natalidade e mais imigração. O número de migrantes procurando se mudar de países em situação adversa para países relativamente privilegiados deve aumentar.

O número de países com estrutura etária jovem no atual "arco de instabilidade" deve declinar em até 40%. Três a cada quatro países com bolsões de juventude se localizarão no seio do Oriente Médio, espalhados através da Ásia Central e do Sul e nas ilhas do Pacífico.

Nova Agenda Transnacional

Os problemas relacionados a recursos serão proeminentes na agenda internacional. O crescimento econômico sem precedentes - positivo em tantos outros aspectos - continuará a colocar pressão em diversos **recursos altamente estratégicos**, entre os quais energia, alimentos e água e a demanda projetada deverá superar facilmente os recursos disponíveis na próxima década ou mais. Por exemplo, a produção líquida de hidrocarbonetos - óleo cru, gás natural e itens não convencionais como areias de piche - não irá aumentar na mesma proporção que a demanda. A produção de petróleo e de gás de muitos produtores tradicionais de energia já está declinando. Em outros lugares - na China, Índia e México - a produção achatou. Países capazes de expansão significativa irão definhar. A produção de petróleo e gás ficará concentrada em áreas instáveis. Como resultado desse e de outros fatores, o mundo estará no meio de uma transição fundamental de fontes de energia, afastando-se do petróleo e aproximando-se do gás natural, carvão e outras alternativas.

O Banco Mundial estima que a demanda por alimentos crescerá em torno de 50% por volta de 2030, por conta do aumento da população, do crescimento da fartura e da mudança para as preferências dietéticas ocidentais empreendida por uma classe média maior. A falta de acesso a suprimentos estáveis de água está chegando a proporções críticas, particularmente para o fim agrícola e o problema irá piorar por causa da rápida urbanização em todo o mundo e do acréscimo de cerca de 1,2 bilhões de pessoas nos próximos 20 anos. Hoje, os especialistas apontam 21 países, somando uma população combinada de 600 milhões, que terão escassez ou de água ou de terras cultiváveis. Dado o contínuo crescimento populacional, 36 países, com cerca de 1,4 bilhões de pessoas, devem entrar nessa categoria por volta de 2025.

A mudança climática deve exacerbar a escassez de recursos. Embora o impacto da mudança climática varie de região para região, diversas áreas já começaram a sofrer efeitos negativos, particularmente escassez de água e perda de produção agrícola. As diferenças regionais na produção agrícola devem se tornar mais pronunciada com declínios desproporcionalmente concentrados nos países em desenvolvimento, particularmente aquelas da região ao sul do Saara, na África. Espera-se que as perdas agrícolas tenham impacto significativo, projetado pela maioria dos economistas para o final deste século. Para muitos países em desenvolvimento, o decréscimo da produção agrícola será devastador, pois a agricultura é responsável por uma grande porção das suas economias e muitos de seus cidadãos vivem em níveis de subsistência.

Novas tecnologias podem, de novo, fornecer soluções, como alternativas viáveis aos combustíveis fósseis, ou meios de superar a escassez de alimentos e de água. No entanto, todas as atuais tecnologias são inadequadas para substituir a arquitetura energética atual na escala necessária e novas tecnologias de energia provavelmente ainda não serão comercialmente viáveis nem difundidas por volta de 2025. O ritmo da inovação tecnológica será fundamental. Mesmo com uma política e ambiente favoráveis para o uso de biocombustíveis, carvão limpo ou hidrogênio, a transição para os novos combustíveis será lenta. Historicamente, as principais tecnologias tiveram um "tempo de adoção". No setor de energia, um estudo recente descobriu que leva cerca de 25 anos para que uma nova produção de tecnologia se torne amplamente adotada.

Apesar daquilo que hoje é visto como uma dificuldade, não podemos excluir a possibilidade de uma **transição energética** até 2025 que evitasse os custos de um reparo na infra-estrutura de energia. A maior possibilidade para uma transição relativamente rápida e barata durante esse período vem de fontes de geração renováveis melhoradas (fotovoltaica e eólica) e melhoria na tecnologia de baterias. Para muitas dessas tecnologias, o custo da infra-estrutura para projetos individuais seria menor, possibilitando muitos pequenos atores econômicos desenvolverem seus próprios projetos de transformação de energia que sirvam diretamente seus interesses – por exemplo, células estacionárias de energia para gerar energia para casas e escritórios, carros híbridos que podem ser recarregados ao serem ligados em tomadas elétricas e a revenda de energia para a rede elétrica. Esquemas de conversão de energia – como planos para gerar hidrogênio para células de energia automotivas a partir da eletricidade da garagem do proprietário – também poderiam evitar a necessidade de desenvolver uma complexa infra-estrutura de transporte de hidrogênio.

Perspectivas para o terrorismo, conflitos e proliferação

O terrorismo, proliferação e conflito continuarão a ser grandes preocupações, mesmo com o aumento da importância do tema recursos na agenda internacional. O terrorismo não deve desaparecer até 2025, mas seu apelo pode diminuir, se o crescimento econômico continuar e o desemprego for mitigado no Oriente Médio. Oportunidades econômicas para os jovens e um maior pluralismo político irão provavelmente dissuadir algumas pessoas de juntarem-se às linhas terroristas, mas outros – motivados por diversos fatores, como o desejo de vingança ou de querer se tornar "mártir" – continuarão a se voltar para a violência para conquistar seus objetivos.

Na ausência de oportunidades de emprego e de meios legais de expressão política, essas condições poderão levar a rivalidades, maior radicalismo e possível recrutamento de jovens por parte dos **grupos terroristas**. Os grupos terroristas de 2025 deverão ser uma combinação dos descendentes de grupos há muito estabelecidos – que herdarão as estruturas organizacionais, processos de comando e de controle e procedimentos de treinamento necessários para a execução de atentados sofisticados – e novas ondas de pessoas raivosas e sem direitos civis que se tornarão radicais. Para esses novos grupos terroristas que estarão ativos em 2025, a difusão de tecnologias e de conhecimento científico disponibilizará algumas das capacidades mais perigosas do mundo, que serão colocadas ao alcance desses grupos. Uma das grandes preocupações continua a ser se os grupos terroristas ou outros malevolentes poderão adquirir e empregar agentes biológicos ou, menos provável, um engenho nuclear, para causar baixas em massa.

Apesar de a aquisição de armas nucleares por parte do **Irã** não ser inevitável, outros países se preocupam com um Irã nuclearmente armado que poderia levar os Estados da região a desenvolver novos arranjos de segurança com potências externas, a adquirir armas adicionais e a estimular suas ambições nucleares. Não está claro se o tipo de relação estável de dissuasão que existiu entre as maiores potências durante a maior parte da Guerra Fria emergiria naturalmente no Oriente Médio com um Irã armado com capacidade nuclear. Episódios de conflito de baixa intensidade que acontecem sob um guarda-chuva nuclear podem levar a um conflito não intencional, caso os limites entre os Estados envolvidos não sejam bem estabelecidos.

Acreditamos que os **conflitos ideológicos** relacionados à Guerra Fria não devem criar raízes em um mundo onde a maioria dos países estará preocupado com os desafios pragmáticos da globalização e com a mudança do alinhamento do poder global. A força da ideologia deve ser forte no mundo muçulmano – particularmente o árabe. Nos países que tendem a ter problemas com os bolsões de juventude e fraca estrutura econômica – como o Paquistão, o Afeganistão, a Nigéria e o Iêmen – a tendência Salafi[13] radical do Islã deve ganhar força.

Alguns tipos de **conflito** dos quais não se tinham notícia há algum tempo – como as disputas por recursos – podem reaparecer. As percepções da escassez de energia levarão países a tomar ações para assegurar seu acesso às reservas

13. O Salafi, ou saafismo, um movimento islâmico que tem como modelos os predecessores, isto é, *Salafs*, do islamismo, é tido como uma das formas "puritanas" do islamismo, cujos participantes não desejam a compatibilização do Islã com a modernidade. Nos EUA, o termo salafi tem sido empregado em artigos de jornais, livros e discursos com o sentido de radicalismo e terrorismo – N. do T.

de energia no futuro. No pior dos casos, isso poderá resultar em conflitos entre Estados, se os líderes dos governos negarem acesso aos recursos energéticos, por exemplo, por ser essencial para a manutenção da estabilidade doméstica e a sobrevivência dos seus regimes. Entretanto, até mesmo as ações de quase guerra terão importantes conseqüências geopolíticas. As preocupações com a segurança marítima estão fornecendo uma linha de raciocínio para o desenvolvimento naval e os esforços de modernização, como o desenvolvimento por parte da China e da Índia de suas capacidades navais de água–azul[14]. O desenvolvimento de capacidades navais regionais pode provocar um aumento nas tensões, rivalidades e movimentos de compensação, mas também pode criar oportunidades para a cooperação multinacional na proteção de rotas marítimas vitais. Com a água se tornando mais escassa na Ásia e no Oriente Médio, a cooperação para gerir a mudança de fontes de água deve se tornar mais difícil dentro e entre os países.

O risco de **uso de força militar** nos próximos 20 anos, embora continue baixo, deve ser maior do que é hoje como resultado de diversas tendências convergentes. A difusão de tecnologias e know-how nucleares está gerando preocupação sobre a potencial emergência de novos países com armas nucleares e a aquisição de materiais nucleares por grupos terroristas. Os contínuos choques de baixa intensidade entre a Índia e o Paquistão continuam a indicar que o espectro de que tais eventos pode se tornar um conflito maior entre essas potências nucleares. A possibilidade de que um regime que tende à desordem se instale em um país que detém armas nucleares como a Coréia do Norte também continua a erguer questões sobre a habilidade de Estados fracos controlarem e assegurarem seus arsenais nucleares.

Se armas nucleares forem usadas nos próximos 15-20 anos, o sistema internacional se chocará na medida em que enfrentar as repercussões humanitárias,

14. A geografia marítima é dividida em quatro regiões, cuja definição de limites é um tanto imprecisa, Marrom, Verde e Azul. As águas azuis a que o texto se refere são os oceanos profundos, longe das costas continentais. Uma "marinha de água azul" permite projetar o poderio naval de uma nação em escala global – N. do T.

econômicas, políticas e militares imediatas. Um uso futuro das armas nucleares provavelmente trará mudanças geopolíticas significativas, conforme alguns Estados buscarem estabelecer ou reforçar alianças de segurança com as potências nucleares existentes e outros irão pressionar para o desarmamento nuclear global.

Um Sistema Internacional mais Complexo

A tendência em direção a uma maior difusão da autoridade e do poder que tem ocorrido nas duas últimas décadas deve acelerar por causa da emergência de novos jogadores globais, do aprofundamento do déficit institucional, expansão potencial de blocos regionais e aumento da força de atores que não são Estados e de redes. A **multiplicidade de atores** na cena internacional pode acrescentar força – em termos de preencher vazios deixados pelas envelhecidas instituições pós-Segunda Guerra – ou fragmentar ainda mais o sistema internacional e incapacitar sua cooperação. A diversidade do tipo de ator levanta a probabilidade de a fragmentação ocorrer nas próximas duas décadas, devido particularmente ao grande número de desafios transnacionais que a comunidade internacional enfrenta.

A ascensão das potências BRIC não deve desafiar o sistema internacional, como o fizeram a Alemanha e o Japão nos séculos XIX e XX, mas por causa da sua crescente influência geopolítica e econômica, eles terão um alto grau de liberdade para adaptar sua própria política e orientações econômicas em lugar de adotar integralmente as normas ocidentais. Também devem querer preservar sua liberdade de manobra, deixando a outros o peso de lidar com problemas como o terrorismo, a mudança climática, a proliferação e a segurança energética.

As instituições multilaterais existentes – que são grandes, desatualizadas e designadas para uma ordem geopolítica diferente – terão dificuldade de se adaptar com rapidez para empreender novas missões, acomodar outros membros e aumentar seus recursos.

As **Organizações Não Governamentais** (ONGs) – concentrando-se em temas específicos – irão cada vez mais ser parte do cenário, mas redes de ONGs devem ser limitadas na sua capacidade de efetuar mudança na ausência de esforços por parte de instituições multilaterais ou governos. Esforços para uma maior inclusão – para refletir a emergência de novas potências – podem tornar mais difícil para as organizações internacionais lidarem com os desafios transnacionais. O respeito por visões dissidentes de nações-membros continuará a moldar a agenda das organizações e limitar os tipos de solução que podem ser tentados.

O maior **regionalismo asiático** – possivelmente por volta de 2025 – teria implicações globais, disseminando ou reforçando uma tendência em direção a três grupos comerciais e financeiros que podem se tornar quase blocos: a América do Norte, a Europa e o Leste da Ásia. O estabelecimento desses quase blocos teria implicações na capacidade de se conquistar futuros acordos na Organização Mundial do Comércio (OMC). Grupos regionais podem competir para estabelecerem padrões de produtos trans-regionais para tecnologia de informação, biotecnologia, nanotecnologia, direitos de propriedade intelectual e outros aspectos da "nova economia". Por outro lado, uma ausência de cooperação na Ásia pode ajudar acelerar a competição entre China, Índia e Japão sobre recursos como energia.

A **proliferação de identidades políticas** é intrínseca à crescente complexidade dos papéis sobrepostos dos Estados, instituições e atores que não são Estados e isso está levando ao estabelecimento de novas redes e à redescoberta de comunidades. Nenhuma identidade política deve ser dominante na maioria das sociedades por volta de 2025. As redes religiosas podem, de forma geral, assumir um papel mais poderoso sobre temas transnacionais, como o ambiental e as desigualdades sociais, do que os grupos seculares.

EUA: Uma Potência Menos Dominante

Por volta de 2025, os EUA se perceberão como um entre muitos atores importantes no palco mundial. Mas individualmente o país será ainda o mais poderoso. Até mesmo no campo militar, onde os EUA continuarão a possuir vantagem considerável em 2025, os avanços de outros em termos de ciência e de tecnologia, adoção de táticas de guerra irregulares tanto por parte dos Estados como por atores que não são nações, proliferação de armas de longo alcance e o aumento de ataques cibernéticos reduzirão a liberdade de ação dos EUA. Os EUA mais limitados terão implicações para outros e a tendência de que novos temas sejam tratados efetivamente. Apesar do presente aumento do anti-americanismo, os EUA provavelmente continuarão a ser vistos como um equilibrador regional muito necessário no Oriente Médio e na Ásia. Os EUA continuarão a exercer um papel significativo no uso de poder militar para conter o terrorismo global. Sobre os novos temas de segurança, como a mudança climática, a liderança dos EUA será amplamente percebida como crítica para alavancar visões rivais e divididas no sentido de encontrar soluções. Ao mesmo tempo, a multiplicidade de atores e a desconfiança nas grandes potências significa menos espaço para os EUA bancarem a ação sem o apoio de parceiros fortes. Desenvolvimentos no resto do mundo, inclusive desenvolvimentos internos em vários Estados – particularmente na China e na Rússia – também devem ser determinantes na política americana.

2025 – Que Tipo de Futuro?

As tendências acima sugerem grandes **descontinuidades,** choques e surpresas, as quais destacamos ao longo do texto. Os exemplos incluem armas nucleares ou uma pandemia. Em alguns casos, o elemento surpresa é apenas uma questão de **tempo**: uma transição da atual arquitetura energética, por exemplo, é inevitável; as únicas questões são quando e como, ou o quão abruptamente ou o quão suavemente ocorrerão. Uma transição de um tipo de combustível (combustíveis fósseis) para outro (alternativo) e um evento que historicamente acontece apenas uma vez a cada século, trariam conseqüências graves. A transição de madeira para carvão ajudou a acelerar a industrialização. Nesse caso, uma transição – particularmente abrupta – para outras fontes que não os combustíveis fósseis teria grandes repercussões para os produtores de energia no Oriente Médio e na Eurásia, com potencial de causar um declínio permanente em alguns Estados enquanto potências globais e regionais. Outras descontinuações são menos previsíveis. Tendem a resultar da interação de diversas tendências e dependem da qualidade da liderança. Colocamos nesta categoria de incertezas a questão sobre se a China ou a Rússia se tornarão uma democracia. A crescente classe média chinesa aumenta as chances, mas não torna tal desenvolvimento inevitável. O pluralismo político parece menos provável na Rússia na ausência da diversificação econômica. A pressão da população pode forçar o tema, ou um líder pode começar a alavancar o processo de democratização para sustentar a economia ou acelerar o crescimento econômico. Uma queda contínua nos preços de gás e petróleo alteraria a previsão e aumentaria a perspectiva de uma maior liberalização política e econômica na Rússia. Se algum dos dois países forem democratizados, isso representaria outra onda de democratização com grande significado para muitos Estados em desenvolvimento.

Também são incertas as conseqüências dos desafios demográficos enfrentados pela Europa e pelo Japão e até mesmo pela Rússia. Em nenhum desses casos a demografia implica um destino com menos poder regional e global como um resultado inevitável. A tecnologia, o papel da imigração, melhorias na saúde pública e leis estimulando maior participação feminina na economia são algumas das medidas que podem mudar a trajetória das tendências atuais apontando em direção a um menor crescimento econômico, aumento das tendências sociais e possível declínio.

Se as instituições globais forem adaptadas e revividas – outra incerteza-chave – também se deverá à liderança. As tendências atuais sugerem que uma dispersão de poder e de autoridade irão criar um déficit de governança global. Reverter essas tendências exigirá uma forte liderança na comunidade internacional por um grande número de potências, inclusive as emergentes.

Algumas incertezas terão maiores conseqüências – caso ocorram – do que outras. Neste trabalho, enfatizamos o potencial de um grande conflito – cujas conseqüências podem ameaçar a globalização. Colocamos o terrorismo utilizando armas de destruição em massa e uma corrida por armas nucleares no Oriente Médio nessa categoria. As incertezas-chave e possíveis impactos são discutidos no texto e sumarizadas no Box da página 37. Nos quatro cenários ficcionais, enfatizamos novos desafios que podem surgir como resultado da transformação global. Eles apresentam novas situações, dilemas ou cenários graves que partem de desenvolvimentos recentes. Como um conjunto, eles não cobrem todos os futuros possíveis. ***O acontecimento de nenhum deles é inevitável nem mesmo necessário,*** mas, como ocorre com muitas outras incertezas, os cenários são alteradores de jogo em potencial.

- Em ***Um Mundo sem o Ocidente***, as novas potências suplantam o Oriente como líderes no palco mundial.
- ***A Surpresa de Outubro*** ilustra o impacto da falta de atenção à mudança climática global; grandes e inesperados impactos estreitam o leque de possibilidades do mundo.
- Em ***A Arrancada dos BRICs,*** a disputa sobre recursos vitais emerge como uma fonte de conflito entre as grandes potências – nesse caso, de dois pesos-pesados emergentes – Índia e China.
- Em ***Nem Sempre a Política É Local*** redes formadas por não Estados emergem para estabelecer a agenda internacional sobre o ambiente, eclipsando os governos.

Um Mundo Transformado

O sistema internacional – conforme construído após a Segunda Guerra Mundial – estará praticamente irreconhecível por volta de 2025. Na verdade, "sistema internacional" não é um nome adequado, pois tende a ser mais desorganizado do que ordenado, com composição híbrida e heterogenia conforme passa por uma transição que ainda estará em progresso em 2025. A transformação está sendo impelida por uma economia em globalização, marcada por uma mudança histórica da riqueza relativa e do poderio econômico do Ocidente para o Oriente e por um peso maior dos novos jogadores – especialmente China e Índia. Os EUA continuarão a ser o ator individual mais importante, mas serão menos dominantes. Como aconteceu com os EUA nos séculos XIX e XX, a China e a Índia serão, por vezes, reticentes e, em outras vezes, impacientes para assumir maiores papéis no palco global. Em 2025, ambas ainda estarão mais preocupadas com seus próprios desenvolvimentos internos do que com a mudança do sistema internacional.

Concorrente com a mudança de poder entre Estados-nações, o poder ***relativo*** de atores que não são Estados – os quais incluem empresas, tribos, organizações religiosas e até mesmo redes criminosas – continuará a crescer. Diversos países podem até mesmo ser "dominados" e administrados por redes criminosas[15].

15. Em seu livro *Putin's Russia* [A Rússia de Putin], a jornalista Anna Politkovskaya afirma ser este o caso atual da Rússia; Politkovskaya foi assassinada em 7 de outubro de 2006, dia de aniversário de Vladimir Putin, segundo alguns como um presente para o então presidente russo – N. do T.

Em áreas da África ou do sul da Ásia, Estados como os conhecemos hoje podem desaparecer devido à incapacidade dos governos de fazerem frente às necessidades básicas, inclusive as de segurança.

Por volta de 2025, a comunidade internacional será composta por muitos atores além dos Estados-nações e não terão uma abordagem ampla sobre a governança global. O "sistema" será multipolar, composto por muitos grupos tanto de Estados como de atores que não são Estados. Sistemas multipolares internacionais – como o Concerto da Europa[16] – existiram no passado, mas aquele que está surgindo não tem precedentes porque é mundial e engloba uma mistura de atores que são tanto Estados como não Estados, os quais não estão agrupados em campos rivais de peso mais ou menos igual. As características mais salientes da "nova ordem" serão a mudança de um mundo unipolar dominado pelos EUA para um de hierarquia relativamente não estruturada das velhas potências e nações emergentes e a difusão de poder do Estado para atores que não são Estados.

> *"... não acreditamos que estamos rumando para um colapso [do sistema internacional]... Entretanto, os próximos 20 anos de transição rumo a um novo sistema internacional estão repletos de riscos..."*

A História nos diz que mudanças rápidas trazem muitos perigos. Apesar da recente volatibilidade financeira, que poderia acelerar muitas das atuais tendências, não acreditamos que estamos rumando para um colapso completo – como aconteceu em 1914-1918 quando uma primeira fase da globalização foi interrompida. Entretanto, os próximos 20 anos de transição rumo a um novo sistema internacional estão repletos de riscos – mais do que havíamos previstos quando publicamos ***Mapeando o Futuro Global***[17], em 2004. Esses riscos

16. Assim chamado o equilíbrio de poder – mantido pelo Reino Unido, Rússia, Prússia e Áustria – que existiu na Europa desde a queda de Napoleão até o início da Primeira Guerra Mundial – N. do T.

17. Veja *Mapeando o Futuro Global*, publicado no Brasil como *O Relatório da CIA: Como Será o Mundo em 2020.*

Comparação entre *Mapeando O futuro Global* e *Tendências Globais 2025: Um Mundo Transformado*

A maior diferença entre ***Mapeando O futuro Global*** e ***Tendências Globais 2025: Um Mundo Transformado*** é que o último trabalha com a hipótese de um futuro multipolar, que acarretará mudanças drásticas no sistema internacional. O relatório de 2025 descreve um mundo no qual os EUA assumem um papel proeminente nos eventos globais, mas os EUA são um entre muitos atores globais que gerenciam os problemas internacionais. Em contraste, o relatório para 2020 projeta o domínio continuado dos EUA, apresentando uma posição na qual as maiores potências consideram a idéia de um EUA equilibrador.

Os dois documentos também diferem no seu tratamento com relação ao suprimento de energia, demanda e novas fontes alternativas. Em 2020, os suprimentos de energia "no chão" são considerados "suficientes para satisfazer a demanda global". O que é incerto, de acordo com o relatório anterior, é se a instabilidade política nos países produtores, interrupção na distribuição ou competição por recursos podem afetar de forma prejudicial os mercados de petróleo internacionais. Embora o relatório para 2020 mencione o aumento global do consumo de energia, ele enfatiza o domínio de combustíveis fósseis. Em contraste, 2025 vê o mundo no meio de uma transição para combustíveis mais limpos. Novas tecnologias são projetadas para fornecer capacidade de substituir os combustíveis fósseis, bem como soluções para a escassez de alimentos e de água. O relatório de 2020 reconhece que as demandas por energia irão influenciar as relações entre as superpotências, mas o relatório 2025 considera a escassez de energia como um fator que irá influenciar a geopolítica.

Ambos os relatórios projetam forte crescimento econômico global – impulsionado pela ascensão do Brasil, Rússia, Índia e China, se não houver maiores choques. O relatório 2025, porém, levanta a tendência de as grandes descontinuidades serem maiores, enfatizando que "nenhum resultado isolado parece ser garantido" e que os próximos 20 anos de transição rumo a um novo sistema internacional estão repletos de riscos, como uma corrida por armas nucleares no Oriente Médio e possíveis conflitos entre Estados por conta de recursos.

Os cenários em ambos os relatórios abordam o futuro da globalização, a estrutura futura do sistema internacional e as linhas de divisão entre os grupos que irão causar conflito ou convergência. Em ambos os relatórios, a globalização é vista como um impulsionador tão importante que irá reordenar as atuais divisões baseadas em geografia, características étnicas, status religioso e sócio-econômico.

incluíam a crescente perspectiva de uma corrida por armas nucleares no Oriente Médio e possíveis conflitos entre Estados por conta de recursos. O leque de temas transnacionais que exigem atenção também está crescendo e incluindo problemas relacionados à escassez dos recursos energéticos, alimentos e água, bem como preocupações com a mudança climática. As instituições globais que poderiam ajudar o mundo a lidar com esses temas transnacionais e, de forma geral, mitigar os riscos de mudança rápida parecem atualmente incapazes de fazer frente aos desafios sem que hajam esforços concentrados dos líderes.

Mais mudança do que continuidade

As rápidas mudanças que estão acontecendo na ordem internacional trazem uma época de maiores desafios geopolíticos e aumento da tendência de descontinuidades, choques e surpresas. Nenhum resultado parece estar preordenado: o modelo ocidental de liberalismo econômico, democracia e secularismo, por exemplo, que muitos assumem como inevitáveis, podem perder seu lustro – ao menos no médio prazo.

Em alguns casos, o elemento surpresa é apenas uma questão de tempo: uma transição para o uso de novas energias, por exemplo, é inevitável. As únicas dúvidas são quando irá ocorrer e o quanto essa transição será abrupta. Outras descontinuidades são menos previsíveis. Considerando que aquilo que pode ser implausível hoje pode ser viável e mesmo provável em 2025, observamos vários "choques" de desenvolvimento. Alguns exemplos são o impacto global de uma corrida por armas nucleares, uma rápida substituição dos combustíveis fósseis e uma China "democrática".

Novas tecnologias podem fornecer soluções, como alternativas viáveis para substituir os combustíveis fósseis ou meios de superar a escassez de alimentos e água. Uma incerteza crítica é se as novas tecnologias serão desenvolvidas e comercializadas a tempo de evitar uma desaceleração do crescimento econômico devido à escassez de recursos. Tal desaceleração prejudicaria a ascendência das novas potências e seria um golpe sério nas aspirações desses países que ainda não estão completamente dentro do jogo da globalização. Um mundo onde a escassez predominasse poderia levar a comportamentos diferentes daquele mundo no qual a falta de recursos é superada através da tecnologia e de outros meios.

FUTUROS ALTERNATIVOS

Este estudo é organizado em sete seções que examinam:

- A economia globalizante
- Demografias da discórdia
- Os novos jogadores
- Escassez em meio à abundância
- Potencial crescente para o conflito
- O sistema internacional conseguirá enfrentar os desafios?
- Divisão de poder em um mundo multipolar

Conforme os trabalhos anteriores, iremos descrever futuros alternativos possíveis que podem resultar das tendências que discutimos[18]. Vemos os próximos 15-20 anos como um daqueles grandes momentos históricos de virada onde múltiplos fatores estão em jogo. A forma como se dá a intercessão desses fatores e o papel da liderança serão cruciais para o resultado final.

Ao construir esses cenários, enfocamos incertezas críticas sobre a importância relativa do Estado-nação em contraste com atores que não são Estados e o nível de cooperação global. Em alguns desses cenários, os Estados são mais dominantes e impulsionam as dinâmicas globais; em outros, os atores que não são Estados, entre os quais movimentos religiosos, ONGs e indivíduos

18. Veja *Global Trends 2015, A Dialogue About the Future with Nongovernment Experts*, National Intelligence Council, dezembro de 2000 e *Relatório da CIA: O Mundo em 2020*, texto em inglês em www.dni.gov/nic/NIC_golbal trends 2015.html e www.dni.gov/nic/NIC_2020_project.html

que amealham muito poder, assumem papéis mais importantes. Em alguns desses cenários, jogadores-chave interagem em grupos concorrentes, através de parcerias e de afiliações além-fronteiras. Outros cenários abrangem mais interação conforme jogadores autônomos operam de maneira independente e, às vezes, em conflito uns com os outros.

Em todos os ***cenários fictícios***, salientamos os desafios que podem ocorrer como resultado da transformação global em curso. Os cenários apresentam novas situações, dilemas ou previsões que causariam reviravoltas na paisagem global, levando a "mundos" muito diferentes. ***Nenhum deles é inevitável ou necessariamente provável.*** No entanto, como muitas outras incertezas, têm potencial para virar o jogo.

Um mundo sem o Ocidente. Nesse mundo, descrito em uma carta fictícia de um futuro chefe da Organização de Cooperação de Xangai (OCX), novas potências suplantam o Ocidente e se tornam líderes no palco mundial. Os EUA estão sobrecarregados com as retiradas da Ásia Central, inclusive do Afeganistão. A Europa não assume a liderança. A Rússia, a China e outros serão forçados a lidar com o potencial de instabilidade na Ásia Central. A OCX ascende enquanto o status da OTAN declina. O antagonismo anti-chinês nos EUA e na Europa aumenta; barreiras comerciais protecionistas são usadas. A Rússia e a China fazem um casamento de conveniência; outros países – Índia e Irã – correm ao redor delas. A falta de um bloco estável – seja no mundo ocidental ou não ocidental – faz com que a instabilidade e a desordem aumentem, ameaçando potencialmente a globalização.

Surpresa de outubro. Nesse mundo, retratado em uma anotação do diário de um futuro presidente dos EUA, muitos países estão preocupados em conseguir crescimento econômico às custas do compromisso de salvaguardar o ambiente. A comunidade científica não teve sucesso em conscientizar o mundo, mas há preocupações de que o limite máximo foi atingido e a mudança climática está acelerando e possíveis impactos serão muito destrutivos. A cidade de Nova York é atingida por um grande furacão, provocado pela mudança climática. A bolsa de valores de NY é profundamente afetada e em face de tal destruição os líderes mundiais começam a pensar em tomar medidas drásticas, como realocar partes das cidades costeiras.

A Arrancada dos BRIC's. Nesse mundo, o conflito irrompe entre a China e a Índia por causa do acesso aos recursos vitais. Poderes exteriores intervêm antes de o conflito se tornar uma conflagração global. A disputa começa quando a China suspeita de que inimigos ameaçam os suprimentos energéticos de Pequim. Percepções errôneas e erros de cálculo levam ao embate. O cenário enfatiza a importância da energia e de outros recursos para o crescimento contínuo e o desenvolvimento das grandes potências. Mostra que o conflito em um mundo multipolar pode acontecer tanto entre os países emergentes quanto como entre as antigas potências.

Nem sempre a política é local. Nesse mundo, mostrado em um artigo de um repórter fictício do ***Financial Times***, várias redes independentes dos Estados – ONGs, grupos religiosos, líderes de negócios e ativistas locais – combinam-se para estabelecer a agenda global de meio ambiente e usam sua influência para eleger o secretário geral da ONU. A coalizão política global dos atores que não são Estados tem um papel crucial na conquista de um novo acordo mundial sobre a mudança climática. Nesse novo mundo conectado de meios de comunicação digitais, classes médias maiores e grupos de interesse transnacional, a política não é mais local e as agendas domésticas e internacionais se confundem cada vez mais.

PROJEÇÕES DE LONGO PRAZO: UMA HISTÓRIA PARA INSPIRAR CUIDADO

No século XX, os especialistas que projetavam os 20 anos seguintes – basicamente o espaço de tempo coberto por este estudo – freqüentemente erravam sobre os principais eventos geopolíticos, baseando suas previsões principalmente em projeções lineares sem explorar as possibilidades que poderiam causar descontinuidade. Antes da Primeira Guerra Mundial, quando as tensões entre as "grandes potências" européias estavam crescendo, poucos tinham noção das mudanças significativas no horizonte, da extensão da chacina até a queda de antigos impérios. No início da década de 1920, poucos previam a situação letal que iria se desdobrar, causada pela Grande Depressão, os gulags de Stalin e

continua...

uma guerra mundial ainda mais sangrenta que incluiria múltiplos genocídios. O período pós-guerra viu o estabelecimento de um novo sistema internacional cujas instituições – a ONU e Breton Woods– continuam conosco. Apesar de a era bipolar e nuclear não ter passado sem guerra e conflito, ela realmente forneceu uma estrutura estável até o colapso da União Soviética. O desenvolvimento de uma economia globalizada na qual a China e a Índia assumem papéis mais importantes abre uma nova era sem resultados claros.

No entanto, as lições do outro século sugerem que:

- **O líderes e suas idéias são importantes.** Nenhuma História dos últimos 100 anos pode ser contada sem mergulhar nos papéis e pensamento de líderes como Vladimir Lênin, Josef Stalin, Adolf Hitler e Mao Tse-tung. As ações de líderes dominantes são o elemento mais difícil de se prever. Em diversos momentos do século XX, especialistas ocidentais acharam que as idéias liberais e de mercado tinham triunfado. Conforme demonstrado pelos impactos de Churchill, Roosevelt e Truman, a liderança é chave em sociedade onde as instituições são fortes e o espaço de manobra para se conquistar poder pessoal é menor.
- **A volatilidade econômica é um grande fator de risco.** Historiadores e cientistas sociais descobriram uma forte correlação entre rápida mudança econômica – tanto positiva como negativa – e instabilidade política. O grande deslocamento de volatilidade econômica introduzida no final da "primeira" globalização, em 1914-1918, e o aumento das barreiras protecionistas nos anos 1920 e 1930, combinado com os ressentimentos do acordo de paz de Versalhes, abriram caminho para a Segunda Guerra Mundial. O colapso dos impérios multinacionais e étnicos começou após a Segunda Guerra e continuou com o final dos impérios coloniais no período pós-Segunda Guerra – também provocou uma longa série de conflitos nacionais e étnicos que reverberam até hoje. A globalização de hoje acelerou igualmente o movimento de pessoas, rompendo fronteiras sociais e geográficas tradicionais.
- **Rivalidades geopolíticas provocam descontinuidades mais do que novas tecnologias.** Muitos enfatizam o papel da tecnologia em provocar uma mudança radical e não há dúvida de que a tecnologia sempre foi um grande impulsionador. Nós – como outros – temos por vezes subestimado seu impacto. Entretanto, ao longo do século passado, as rivalidades geopolíticas e suas conseqüências foram causas mais significativas de diversas guerras, colapso de impérios e ascensão de novas potências do que a tecnologia.

CAPÍTULO 1

A Economia Globalizante

Em termos de tamanho, velocidade e fluxo direcional, a mudança econômica da riqueza relativa hoje em curso - basicamente do Ocidente para o Oriente - não tem precedentes na História moderna. Essa mudança deriva de duas fontes principais. Primeiro, o aumento sustentado dos preços do petróleo e dos commodities geraram lucros inesperados nos Estados do Golfo e na Rússia. Segundo, os custos de trabalho relativamente baixos mudaram o lócus de manufatura e de algumas indústrias de serviços para a Ásia. A forte demanda global por esses produtos trouxe proventos por toda a Ásia, particularmente para a China e a Índia. Essas mudanças na oferta e demanda são profundas e estruturais, o que sugere que a transferência resultante de poder econômico que estamos testemunhando deve continuar. Essas mudanças são a força de empuxo

Quando o PIB da China e da Índia ultrapassará os dos atuais países ricos

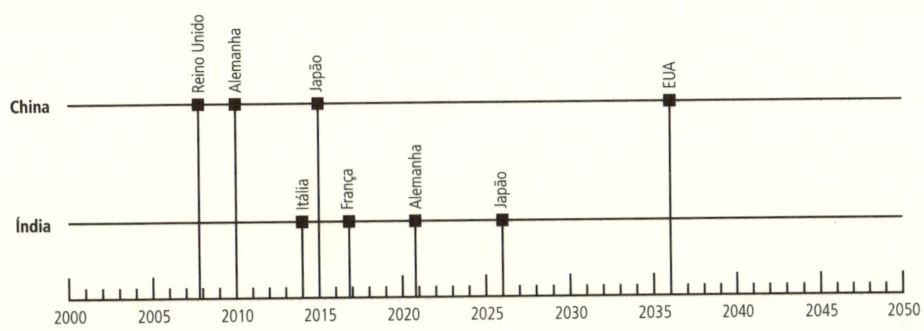

Fonte: Goldman Sachs, *Global Economics Paper nº 99, outubro de 2003*

por trás da globalização – conforme delineamos em nosso relatório ***Mapeando o Futuro Global*** –, uma meta-tendência, transformando padrões históricos de fluxos econômicos e de estoques, criando pressões para promover re-equilíbrios, por vezes dolorosos, tanto para os países ricos como para os pobres.

"Em termos de tamanho, velocidade e fluxo direcional, a mudança econômica da riqueza relativa hoje em curso – basicamente do Ocidente para o Oriente – não tem precedentes na História moderna."

Embora essa mudança não tenda a ser igual para todos, os primeiros perdedores, como a maior parte da América Latina (com exceção do Brasil e de poucos outros) e da África, não estão recebendo nem investimentos através da transferência inicial de ativos, nem investimentos externos significativos. Certos países industrializados como o Japão também parecem encarar muitos desafios por causa dos elos financeiros incipientes entre esses mercados emergentes. Os EUA e a eurozona estão recebendo grande parte da liquidez desse mercado emergente, mas se eles irão se beneficiar relativamente com relação à sua posição atual, depende de diversos fatores, inclusive da capacidade dos países ocidentais reduzirem o consumo e a demanda de petróleo, a capacidade desses países de capitalizar um clima de exportação favorável em setores de força comparativa, como tecnologia e serviços, e as políticas domésticas dos países recipientes, particularmente em temas de política econômica e de abertura ao investimento estrangeiro.

De volta para o futuro

As usinas econômicas da Ásia – China e Índia – estão restaurando as posições que tinham há dois séculos, quando a China produzia cerca de 30% e a Índia aproximadamente 15% de toda a riqueza mundial. A China e a Índia, pela primeira vez desde o século XVIII, devem ser os maiores responsáveis pelo crescimento econômico mundial. Esses dois países devem ultrapassar o PIB de todas as outras economias, exceto as do EUA e do Japão, por volta de

2025, mas continuarão a ficar para trás em termos de renda per capta durante décadas. O mundo por volta de 2025 será caracterizado pela "identidade dupla" desses dois gigantes asiáticos: poderosos, embora muitos chineses e indianos se sentirão relativamente mais pobres comparados aos ocidentais.

As projeções de crescimento para o Brasil, Rússia, Índia e China indicam que, por volta de 2040-2050, esses países alcançarão em conjunto a porção do PIB global detida pelo G7. De acordo com essas mesmas projeções, as oito maiores economias em 2025 serão, em ordem descendente: EUA, China, Índia, Japão, Alemanha, Reino Unido, França e Rússia.

A China, principalmente, surgiu como um novo peso-pesado financeiro, com dois trilhões de dólares em reservas cambiáveis em 2008. Os países de rápido desenvolvimento, entre eles a China e a Rússia, criaram fundos de riqueza de soberania (FRS)[19] com o objetivo de usar suas centenas de bilhões de dólares em ativos para conquistar retornos mais elevados para ajudá-los durante as tempestades econômicas. Alguns desses fundos retornarão ao Ocidente na forma de investimentos, promovendo uma maior produtividade e competividade econômica. No entanto, o investimento direto estrangeiro (IDE) das potências emergentes no mundo em desenvolvimento está aumentando significativamente.

Uma geração de empresas globalmente competitivas está emergindo das novas potências, ajudando ainda mais a solidificar suas posições no mercado global; do Brasil no agronegócio e na exploração do petróleo na sua bacia marítima; a Rússia em energias e metais; a Índia em tecnologia de informação (IT, conforme sigla em inglês), serviços, farmacêuticos e auto-peças; e a China

19. fundos de riqueza de soberania (FRS) constituem capital gerado pelo excedente do governo e investido em mercados privados no exterior. Desde 2005, o número de países com FRSs cresceu de três para mais de 40 e a soma agregada sob seu controle gira em torno de 700 bilhões a três trilhões de dólares. O leque de funções servida pelos FRSs também expandiu, pois muitos dos países que os criaram o fizeram por um desejo de perpetuar excedentes ou para ter economias intergeracionais, em vez de serem motivados pela necessidade de neutralizar a volatibilidade do mercado de commodities. Se as tendências atuais continuarem, os FRSs irão inchar para mais de 6,5 trilhões de dólares nos próximos cinco anos e a 12-15 trilhões de dólares na próxima década, excedendo todas as reservas fiscais e compreendendo cerca de 20% da capitalização global)

em aço, utensílios domésticos e equipamentos de telecomunicações. Entre os primeiros 100 líderes corporativos globais do mundo que não fazem parte da OECD[20] listado no relatório de 2006 do *Boston Consulting Group*, 84 tinham as matrizes no Brasil, Rússia, China e Índia.

Classe média maior

Estamos testemunhando um momento sem precedentes na História humana: nunca antes tantas pessoas saíram da pobreza extrema como hoje em dia. Cerca de 135 milhões de pessoas saíram da pobreza extrema entre 1999 e 2004 – um número impressionante se considerar que equivale a mais do que a população do Japão e quase igual à da Rússia.

Durante as próximas décadas, projeta-se que o número de pessoas consideradas como "classe média global" aumente de 440 milhões para 1,2 bilhões, ou cerca de 7,6% da população mundial para 16,1%, de acordo com o Banco Mundial. A maior parte dessas pessoas é da China e da Índia.

- Mas há um lado obscuro na moeda da classe média global: divergência continuada nos extremos. Muitos países – especialmente os sem acesso para o mar e pobres em recursos da África subsaariana – não têm o básico para participar do jogo da globalização. Por volta de 2025-2030, a parte do mundo considerada pobre irá encolher em cerca de 23%, mas a parte pobre do mundo – 63% da população global – ficará relativamente mais pobre, de acordo com o Banco Mundial.

Capitalismo de Estado: um mercado pós-democrático surgindo no Oriente?

A monumental realização de fazer milhões saírem da extrema pobreza escora a ascensão das novas potências – especialmente a China e a Índia – na

20. Organização para Cooperação e Desenvolvimento Econômico – N. do T.

cena internacional, mas não nos conta a História toda. Hoje, a riqueza não está apenas indo do Ocidente para o Oriente, mas está ficando mais sob controle do Estado. Na esteira da crise financeira global de 2008, o papel de mediador do Estado na economia pode ter ganhando mais força em todo o mundo.

Com notáveis exceções como a Índia, os países que terão benefícios advindos da grande mudança do fluxo da riqueza - China, Rússia e os países do Golfo Pérsico - não são democracias e suas políticas econômicas não distinguem claramente o público do privado. Esses Estados não estão seguindo o modelo liberal ocidental de desenvolvimento, mas estão usando um modelo diferente, o "capitalismo de Estado". Capitalismo de Estado é um termo amplo usado para descrever um sistema de gerenciamento econômico que confere um papel proeminente ao Estado.

Desigualdade de renda por região: A desigualdade européia menor que todas

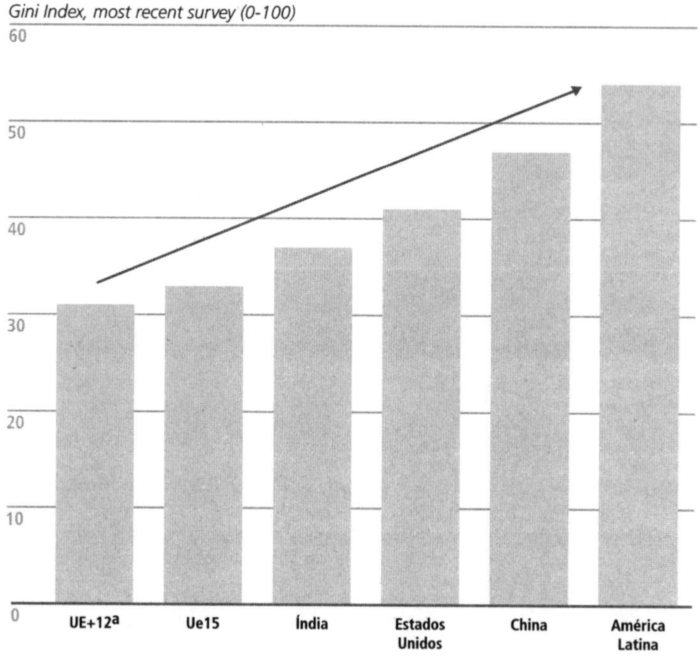

a – Nações da União Européia que se tornaram membros em 2004 ou depois.
Fonte: UNDP, Relatório de Desenvolvimento Humano 2007/2008: Banco Mundial

Outros – como a Coréia do Sul, Taiwan e Cingapura – também escolheram o capitalismo de Estado, quando inicialmente adotaram, seu processo de desenvolvimento de suas economias. No entanto, o impacto da Rússia e, particularmente da China, seguindo esse caminho é potencialmente maior dado ao seu peso no palco mundial. Ironicamente, a maior participação do Estado nas economias ocidentais, que está atualmente tendo lugar como resultado da atual crise financeira, pode reforçar a preferência dos países emergentes para um maior controle do Estado e não confiarem em um mercado sem regulamentação.

Tipicamente, esses países favorecem:

- ***Um clima favorável à exportação.*** Devido à riqueza que está fluindo para esses países, seu desejo de ter uma moeda fraca apesar dos fortes resultados econômicos domésticos exige grande intervenção nos mercados de moedas, levando a grande acúmulo de ativos por parte do Estado, até agora, típico na forma das obrigações do Tesouro dos EUA.
- ***Fundos de Riqueza Soberana (FRSs) e outros veículos de investimento do Estado.*** Tendo amealhado enormes ativos, o Conselho de Cooperação do Golfo (CCG) e funcionários do governo chinês têm usado cada vez mais diversas formas de investimento soberano. Os países que estão entrando nos mercados privados estão fazendo isso em parte para obter retorno maior. Os FRSs são os mais comentados, mas são apenas um dos muitos veículos de investimento soberano.
- ***Esforços renovados com relação à política industrial.*** Os governos que gerenciam fortemente suas economias freqüentemente têm interesse na política industrial. E os países do Golfo têm planos de diversificar suas economias e de galgar a escada do valor adicionado e atingir os setores de alta tecnologia e serviços. No entanto, as diferenças significativas entre os atuais esforços e os dos períodos iniciais é que esses países possuem os recursos econômicos necessários para implementar seus planos e não precisam depender de incentivos de terceiros ou de capital estrangeiro.

- ***Retrocesso da privatização e reaparecimento de empresas estatais (EEs).*** No início da década de 1990, muitos economistas predisseram que as EEs seriam uma relíquia do século XX. Eles estavam errados. Longe de estarem extintas, as EEs estão tendo sucesso e, em muitos casos, buscando se expandir além de suas fronteiras, particularmente nos setores de commodities e de energia. As EEs, especialmente as empresas nacionais de petróleo, tendem a atrair investimentos para a necessidade de capital imediato que esses países estão acumulando.

A Globalização está em risco com a crise financeira de 2008?

Como a maioria das tendências discutidas neste relatório, os impactos da crise financeira irão depender fortemente da liderança do governo. Políticas fiscais e monetárias proativas irão provavelmente acalmar o atual pânico e assegurar que as recessões dos países não se tornem uma depressão estendida, apesar de que um crescimento econômico reduzido pode diminuir o ritmo da globalização, aumentando as pressões protecionistas e a fragmentação financeira.

A crise está acelerando o re-equilíbrio econômico global. Alguns países em desenvolvimento estão afetados. Muitos, como o Paquistão, com seu grande déficit de conta corrente, correm risco considerável. Mesmo aqueles com reservas em dinheiro – como a Coréia do Sul e a Rússia – foram muito impactados. O grande aumento da taxa de desemprego e a inflação poderiam causar instabilidade política generalizada e tirar as potências emergentes do rumo. Não obstante, se a China, a Rússia e os exportadores de petróleo do Oriente Médio conseguirem evitar a crise interna, estarão em uma posição de alavancar suas reservas ainda grandes, comprar ativos estrangeiros e fornecer assistência financeira direta para os países que ainda estão lutando por favores políticos, ou mesmo semear novas iniciativas regionais. No Ocidente, a maior mudança – não prevista antes da crise – é o aumento do poder do Estado. Os governos ocidentais possuem agora grandes fatias dos seus setores financeiros e devem gerenciá-los, potencialmente politizando mercados.

A crise aumentou o desejo por um novo "Breton Woods" para melhor regulamentar a economia global. Os líderes mundiais, porém, estarão desafiados a renovar o FMI e elaborar um novo conjunto de regras globais transparentes e eficientes que se aplicam aos diferentes capitalismos e níveis de desenvolvimento institucional financeiro. O fracasso em se construir uma nova arquitetura que abranja tudo pode levar os países a buscar segurança por meio de políticas monetárias competitivas e novas barreiras de investimento, aumentando o potencial de segmentação de mercado.

De uma forma muito semelhante aos FRSs, as EEs servem a uma função secundária que funciona como uma válvula de pressão, ajudando a aliviar a inflação e pressões causadas pelo câmbio. Também podem atuar como veículos de maior controle político. Na medida em que as empresas estatais ultrapassem fronteiras, elas podem se tornar veículos de influência geopolítica, particularmente aquelas relacionadas a recursos estratégicos como energia.

O crescente papel do Estado como jogador nos mercados emergentes contrastava até recentemente com tendências praticamente opostas no Ocidente, onde o Estado tem lutado para acompanhar o ritmo da engenharia financeira privada, como derivativos e permuta de crédito (*credit swaps*). As raízes da profundidade e complexidade desse mercado capital datam da década de 1980, mas têm crescido com os maiores preços dos ativos e dos *bull marktes*[21] desde os anos 1990 até recentemente. A engenharia financeira – baseada em uma magnitude de alavancagem impensável há uma década – injetou, por sua vez, um grau de volatibilidade de risco sem precedentes nos mercados globais. Maiores controles e regulamentação interna – uma possível conseqüência da atual crise financeira – podem mudar essa trajetória, apesar de o espaço da influência do Estado na economia entre o Ocidente e as potências econômicas emergentes deva continuar.

Um caminho tortuoso para corrigir os atuais desequilíbrios globais

A recusa dos mercados emergentes em permitir apreciação cambial apesar da economia em expansão, junto com o desejo dos EUA de incorrer em maior débito, criou um ciclo de desequilíbrios que se apóia mutuamente, embora em última instância seja insustentável.

21. Mercados caracterizados pelos altos preços da segurança, quase sempre em países instáveis, ou onde o crime organizado é proeminente – N. do T.

De fato, os eventos de 2008 em Wall Street marcaram o capítulo inicial de uma longa História de re-equilíbrio e correção de curso desses desequilíbrios. O acerto desses desequilíbrios será tortuoso, conforme a economia global se realinhar. As dificuldades de uma coordenação global de política econômica – em parte um produto colateral da crescente multipolaridade política e financeira – aumentam ainda mais as chances de o caminho ser tortuoso.

Um dos desenvolvimentos seguintes, ou uma combinação deles, deve levar ao ajuste: uma diminuição no consumo dos EUA, um aumento na taxa de poupança desse país, e um aumento da demanda dos mercados asiáticos emergentes, particularmente a China e a Índia. Se os desequilíbrios irão se estabilizar ou retornar por volta de 2025, depende em parte das lições tiradas da crise financeira pelos países emergentes. Alguns podem interpretar a crise como um argumento para o acúmulo, enquanto outros – ao compreenderem que poucas, se é que há alguma, economias emergentes são imunes à crise generalizada – podem considerar que o acúmulo de reservas não é prioridade.

As principais conseqüências negativas e a necessidade de reajustes econômicos e políticos sempre vão além da arena financeira. A História sugere que esse re-equilíbrio irá exigir esforços de longo prazo para estabelecer um novo sistema internacional. Entre os problemas específicos para serem resolvidos estão:

- ***Maior protecionismo para o comércio e os investimentos.*** Aquisições estrangeiras cada vez mais agressivas de corporações baseadas nas economias emergentes – muitas das quais de propriedade do Estado – provocarão tensões políticas, com potencial de causar retrocesso público em países contra o comércio e o investimento estrangeiro. A percepção de benefícios desiguais da globalização nos EUA pode impelir forças protecionistas.

- ***Um rápido seqüestro de recursos.*** As novas potências terão cada vez mais os meios para adquirir commodities no esforço de assegurar seu desenvolvimento continuado. Rússia, China e Índia relacionaram sua segurança nacional a mais controle por parte do Estado aos acessos aos recursos energéticos e aos mercados através das suas empresas estatais de energia. Os países do Golfo estão interessados em arrendamento de terras e compras em outros locais para assegurar suprimento adequado de alimentos.

- ***Democratização desacelerada.*** A China, particularmente, oferece um modelo alternativo para o desenvolvimento político além de demonstrar um caminho econômico diferente. O modelo pode se mostrar atraente para regimes autoritários de baixa performance e para democracias fracas e frustradas por anos de mau resultado econômico.
- ***O Declínio das instituições financeiras internacionais.*** Os fundos de riqueza soberana têm injetado mais capital nos mercados emergentes do que o FMI e o Banco Mundial combinados, e essa tendência deve continuar com os desequilíbrios globais. A China está começando a associar investimentos em FRSs à ajuda direta e assistência estrangeira, quase sempre vencendo o Banco Mundial em concorrências de projetos de desenvolvimento. Tais investimentos dos novos países ricos, como a China e a Rússia e os países do CCG, levarão a realinhamentos diplomáticos e novos relacionamentos entre esses países e o mundo em desenvolvimento.
- ***Um declínio no papel internacional do dólar.*** Apesar dos recentes influxos de lastro de dólares e da apreciação do mesmo, esta moeda poderá perder seu status enquanto moeda de reserva global sem paralelos por volta de 2025 e se tornar a primeira entre iguais em um mercado cambial com várias moedas. Isso pode forçar os EUA a considerar mais cuidadosamente a maneira pela qual a condução de sua política externa afeta o dólar. Sem uma fonte contínua de demanda externa de dólares, a política externa dos EUA pode trazer exposição à choques cambiais e maiores taxas de juros para os americanos.

O uso cada vez maior do euro já é evidente, trazendo dificuldades para os EUA na exploração do poder único que o dólar tem em termos de comércio e investimento internacional, que permite ao país congelar ativos e corromper os fluxos financeiros de seus adversários, como aconteceu recentemente com as sanções financeiras contra a Coréia do Norte e o Irã. Incentivos e inclinações para um distanciamento do dólar serão influenciados, porém, pelas incertezas e Instabilidades do sistema financeiro internacional.

Nódulos Financeiros Múltiplos

Ancorada pelos EUA e pela UE no Ocidente, pela Rússia e os países da CCG na Ásia Central e Oriente Médio, e pela China e Índia no Oriente, a paisagem financeira será, pela primeira vez, genuinamente global e multipolar. Conforme o aumento do interesse nos mercados financeiros menos alavancados, percebido na recente crise financeira, a finança islâmica pode ter um grande impulso. Apesar de essa ordem financeira global multipolar sinalizar um declínio relativo para o poderio dos EUA e um provável aumento na competição e complexidade do mercado, esses aspectos negativos podem ser acompanhados de outros positivos. Com o tempo, e conforme se desenvolvem, esses múltiplos centros financeiros podem criar redundâncias que ajudam a isolar os mercados contra choques financeiros e crises cambiais, minimizando seus efeitos antes que aconteça um contágio global. De maneira semelhante, conforme as regiões se tornam mais fixas em seus epicentros financeiros, incentivos para preservar a estabilidade geopolítica para abrigar esses fluxos financeiros aumentarão. A História sugere, porém, que um redirecionamento aos centros financeiros regionais poderia se espalhar rapidamente para outras áreas de poder. Raramente, se é que já aconteceu, esses "financistas do último paraíso fiscal" se contentam a limitar sua influência ao campo estritamente financeiro. Tensões internacionais poderiam dividir o Ocidente com os EUA e a UE tendo prioridades econômicas e monetárias cada vez mais divergentes, complicando os esforços ocidentais para liderar e desenvolver conjuntamente a economia global.

Liderança científica e tecnológica: um teste para as potências emergentes

O relacionamento entre as realizações científicas e tecnológicas e o crescimento econômico foi estabelecido há muito tempo, mas o caminho nem sempre é previsível. Mais significativa é a eficiência média do Sistema Nacional de Inovação (SNI) - o processo pelo qual conceitos intelectuais se tornam comerciais para benefício da economia de uma nação. De acordo com um levantamento feito por especialistas científicos contratados pelo Conselho Nacional de Inteligência, os EUA atualmente ostentam um SNI mais forte do que as economias emergentes da China e Índia.

- A idéia de SNI foi desenvolvida na década de 1980 como forma de compreender como alguns países eram mais bem-sucedidos do que outros em transformar conceitos intelectuais em produtos comerciais que impulsionam suas economias. O modelo SNI está evoluindo conforme a tecnologia de informação e o efeito da crescente globalização (e corporações multinacionais) influenciam as economias nacionais.

De acordo com o estudo encomendado pelo NIC, nove fatores podem contribuir para um SNI moderno: fluidez de capital, flexibilidade da reserva de trabalho, receptividade do governo aos negócios, tecnologias de informação e comunicação, infra-estrutura para o desenvolvimento do setor privado, sistemas legais para proteger os direitos de propriedade intelectual, capital científico e humano disponíveis, aptidões mercadológicas e propensão cultural para estimular a criatividade.

Espera-se que a China e a Índia levem dez anos para alcançar a paridade com os EUA em duas áreas diferentes: capital científico e humano (Índia) e receptividade para inovações nos negócios (China). A China e a Índia irão se aproximar significativamente, mas não alcançarão a paridade em outros fatores. Espera-se que os EUA continuem dominantes em três áreas: proteção pelos direitos à propriedade intelectual, sofisticação dos negócios para aproveitar a inovação e incentivo à criatividade.

Empresas da China, Índia e de outros grandes países emergentes têm oportunidade única de serem as primeiras a desenvolver uma gama de novas tecnologias. É esse especialmente o caso daquelas instâncias onde as empresas estão construindo nova infra-estrutura, em lugar de estarem sobrecarregadas por padrões históricos de desenvolvimento. Tais oportunidades incluem geração e distribuição de energia elétrica, desenvolvimento de fontes de água potável e a próxima geração de tecnologia de Internet e de informação (como informática ubíqua e a *Internet of Things* - veja o apêndice). A adoção imediata e significativa dessas tecnologias pode fornecer considerável vantagem econômica.

Modelos de Desenvolvimento Divergentes, mas por quanto tempo?

O modelo centralizado no Estado, no qual este toma as principais decisões econômicas e, no caso da China e cada vez mais no da Rússia, a democracia é restrita, levanta dúvidas sobre a inevitabilidade da receita ocidental tradicional – basicamente economia liberal e democracia – para o desenvolvimento. Nos próximos 15-20 anos, mais países em desenvolvimento podem gravitar em torno do modelo centrado no Estado de Pequim mais do que ao redor do modelo ocidental tradicional de mercado e de sistemas políticos democráticos para aumentar as chances de rápido desenvolvimento e de estabilidade política. Embora acreditemos que o vão irá continuar, o papel maior do Estado nas economias ocidentais pode também diminuir o contraste entre os dois modelos.

No Oriente Médio, o secularismo, que também já foi considerado uma parte integral do modelo ocidental, pode cada vez mais ser percebido deslocado conforme partidos islâmicos forem projetados à proeminência e possivelmente comecem a assumir governos. Como na Turquia de hoje, podemos ver a islamização com maior ênfase no crescimento econômico e na modernização.

> *"A China, particularmente, oferece um modelo alternativo de desenvolvimento político, além de demonstrar um caminho econômico diferente."*

A falta de uma ideologia abrangente e a mistura e combinação de alguns elementos – por exemplo, o Brasil e a Índia são democracias de mercado vibrantes – significa que o modelo centrado no Estado ainda não constitui um sistema alternativo e, no nosso entender, não tende a se tornar isso. Se a China promover liberalizações tanto políticas como econômicas nas duas próximas décadas, isso será um teste particularmente crítico para a sustentabilidade no longo prazo de uma alternativa ao tradicional modelo ocidental. Embora a democratização será provavelmente desacelerada e terá sua característica chinesa própria, acreditamos que a classe média emergente irá pressionar para obter uma maior influência política, particularmente se o governo central falhar na sua capacidade de sustentar o crescimento econômico ou não responder satisfatoriamente à cada vez melhor "qualidade de vida" e a problemas como o aumento da poluição ou a necessidade de serviços de saúde e educação. Os esforços do governo para promover a ciência e a tecnologia e estabelecer uma economia "high tech" aumentará os incentivos para uma maior abertura no sentido de promover capital humano e atrair especialistas e idéias do exterior.

Padrões históricos evidenciados por outros produtores de energia sugerem que desviar as pressões para a liberalização será mais fácil para as autoridades russas. Tradicionalmente, os produtores de energia também foram capazes de usar essas receitas para comprar os oponentes político. Poucos fizeram a transição para a democracia enquanto suas receitas provenientes da produção de energia continuaram fortes.

Uma queda continuada no preço de petróleo e de gás alteraria essa percepção e aumentaria a possibilidade de uma maior liberalização política e econômica na Rússia.

América Latina: crescimento econômico moderado, violência urbana continuada

Muitos países latino-americanos terão progresso marcante na consolidação de suas democracias por volta de 2025 e alguns desses países irão se tornar potências de renda média. Outros, particularmente os que abraçaram políticas populistas, ficarão para trás – e alguns, como o Haiti, ficarão ainda mais pobres e menos governáveis. Problemas de segurança pública continuarão a não ser resolvidos – e em alguns casos não serão gerenciáveis. O Brasil se tornará a potência regional líder, mas seus esforços para promover a integração da América do Sul só serão realizados em parte. A Venezuela e Cuba terão algum vestígio de influência na região em 2025, mas seus problemas econômicos limitarão seu apelo. A não ser que os EUA possam garantir o acesso ao mercado de forma permanente e significativa, os EUA poderão perder sua posição tradicionalmente privilegiada na região, com um declínio de influência política concomitante.

O crescimento econômico contínuo de agora a 2025 – talvez em torno de 4% – impulsionará uma modesta diminuição dos níveis de pobreza em alguns países e uma redução gradual do setor informal. O progresso em reformas secundárias críticas, como educação, sistemas fiscais retrógrados, leis fracas para a defesa de direitos de propriedade e execução inadequada da lei continuarão a ser pontos problemáticos a causar instabilidade. A crescente importância relativa da região como produtora de petróleo, gás natural, biocombustíveis e outras fontes de energia alternativa impulsionarão o crescimento do Brasil, Chile, Colômbia e México, mas a posse das empresas de energia pelo Estado e a instabilidade política impedirão o desenvolvimento eficiente dos recursos energéticos. A competição econômica da América Latina continuará a perder para a da Ásia e outras áreas de rápido crescimento.

O crescimento populacional da região será relativamente moderado, mas os pobres rurais e as populações indígenas continuarão a crescer com uma taxa elevada. A América Latina terá uma população mais velha, uma vez que a taxa de adultos com 60 anos ou mais irá aumentar.

Algumas partes da América Latina continuarão a estar entre as áreas mais violentas do mundo. Organizações de tráfico de drogas, sustentadas em parte pelo aumento local do consumo de drogas, cartéis criminosos transnacionais e gangues criminosas locais continuarão a minar a segurança pública. Esses fatores, e a persistência da fraqueza no cumprimento da lei, implicam que alguns países pequenos, especialmente na América Central e no Caribe, poderão se tornar Estados falidos.

A América Latina continuará a ter um papel marginal no sistema internacional, a não ser pela sua participação no comércio internacional e em alguns esforços pela manutenção da paz.

A influência dos EUA na região irá diminuir um pouco, em parte por conta de um maior relacionamento econômico e comercial com a Ásia, Europa e outros blocos. Os latino-americanos, em geral, procurarão os EUA em busca de orientação global e para manter relação com a região. Uma população hispânica cada vez maior irá garantir a atenção dos EUA, bem como envolvimento em áreas como cultura, religião, economia e política da região.

AS MULHERES COMO AGENTES DE MUDANÇA GEOPOLÍTICA

O maior poder político e econômico conquistado pelas mulheres pode transformar a paisagem global nos próximos 20 anos. Essa tendência já é evidente na área econômica: *a explosão na produtividade econômica global nos últimos anos foi impulsionada por recursos humanos melhores – conquistados particularmente através de maiores oportunidades de saúde, educação e emprego para mulheres e moças – e também por avanços tecnológicos.*

- A predominância de mulheres no setor de manufatura para exportação do sudeste asiático é um dos principais fatores do sucesso econômico da região. Trabalhadoras

continua...

agrícolas respondem por metade da produção mundial de alimentos – mesmo sem acesso garantido à terra, crédito, equipamento e mercados.

- Nos próximos 20 anos a maior entrada e permanência das mulheres no ambiente de trabalho pode continuar a mitigar os impactos econômicos do envelhecimento global.

As mulheres, na maior parte da Ásia e da América Latina, estão conquistando maiores níveis de educação do que os homens, uma tendência que é particularmente significativa em uma economia global de capital humano concentrado.

- Dados demográficos indicam uma correlação significativa entre um alto nível de alfabetização feminina e um maior crescimento do PIB em uma dada região (por exemplo, as Américas, Europa e Extremo Oriente). Por outro lado, as regiões como menores taxas de alfabetização feminina (Ásia do sul e ocidental, o mundo árabe e a África ao sul do Saara) são as mais pobres do mundo.
- Melhores oportunidades de educação para meninas e mulheres também são um fator a contribuir com a queda da taxa de natalidade em todo o mundo – e por extensão de uma melhor saúde materna. As implicações de longo prazo dessa tendência incluem menos órfãos, menos má nutrição, mais crianças na escola e outras contribuições para a estabilidade social.

Apesar de os dados sobre o envolvimento ***político*** das mulheres serem menos conclusivos do que os relativos à participação econômica, o fortalecimento político das mulheres parece alterar as prioridades governamentais. ***Exemplos tão diversos como Suécia e Ruanda indicam que países com números relativamente grandes de mulheres politicamente ativas colocam maior importância em temas sociais como saúde, meio ambiente e desenvolvimento econômico.*** Se essa tendência continuar nos próximos 15-20 anos, como é provável, um número cada vez maior de países podem favorecer programas sociais em detrimento de projetos militares. A melhor governança poderia ser um benefício resultante, uma vez que um maior número de mulheres no parlamento ou em posições de governo tem correlação com menor corrupção.

Em nenhum lugar o papel das mulheres é potencialmente mais importante para a mudança geopolítica do que no mundo muçulmano. As mulheres muçulmanas se adaptam à Europa muito melhor do que seus parentes homens, em parte porque freqüentam os sistemas educacionais, o que facilita sua entrada no mercado de trabalho nas áreas de informação ou das indústrias de serviço. O acentuado declínio da taxa de fertilidade entre os muçulmanos na Europa demonstra vontade de aceitar trabalhos fora de casa e uma maior recusa de se conformar com as normas tradicionais. No curto prazo, o declinio da estrutura tradicional da família muçulmana pode ajudar a explicar a abertura de muitos jovens muçulmanos do sexo masculino às mensagens do islamismo radical. No entanto, ao criar as futuras gerações, as mulheres podem ajudar a mostrar o caminho para uma maior assimilação social e reduzir a tendência do extremismo religioso. O impacto de um maior número de mulheres no mercado de trabalho também pode ter impacto fora da Europa. Os países do Mediterrâneo islâmico que estão se modernizando têm laços fortes com a Europa, para onde esses países enviaram muitos migrantes. Os migrantes voltam para visitar ou para se re-estabelecer e trazem com eles novas idéias e expectativas. Esses países islâmicos também recebem influência estrangeira da mídia européia, através de canais via satélite e da Internet.

Educação de maior nível moldando a paisagem global em 2025

Conforme os negócios globais eliminam cada vez mais as fronteiras e os mercados de trabalho se tornam mais semelhantes, a educação se torna um determinador-chave da performance e potencial econômico de um dado país. A educação primária adequada é essencial, mas a qualidade e acesso à educação secundária e superior serão ainda mais importantes para determinar se as sociedades terão sucesso em adicionar valor na escada produtiva.

A liderança americana no trabalho altamente qualificado diminuirá conforme grandes potências emergentes, particularmente a China, começam a colher dividendos nos recentes investimentos em capital humano, inclusive educação, mas também em termos de alimentação e saúde. A Índia enfrenta um desafio porque a educação primária é inadequada nas regiões mais pobres e as melhores instituições educacionais são para relativamente poucos privilegiados. Os fundos com relação ao PIB aumentaram para cerca de 5% na maioria dos países europeus, embora poucas universidades européias sejam consideradas como de classe mundial. Os gastos com educação no mundo árabe estão mais ou menos iguais aos do resto do mundo em termos absolutos e ultrapassam o meio global como porcentual do PIB, ficando atrás apenas dos países de alta renda da OECD. Dados da ONU e pesquisas feitas por outras instituições sugerem, porém, que o treinamento e a educação dos jovens no Oriente Médio não é motivada pela necessidade dos empregadores, especialmente nas áreas de ciência e tecnologia. Mesmo assim, há alguns sinais de progresso.

Os EUA podem ser capazes de adaptar seu alto nível de educação e pesquisa à maior demanda mundial e se posicionarem como um pólo educacional mundial para o crescente número de alunos que entrarão no mercado educacional até 2025. Apesar de o aumento do número de salas de aula e laboratórios nos EUA poder significar maior concorrência para os alunos americanos, a economia dos EUA pode igualmente se beneficiar porque as empresas tendem a basear suas operações onde há disponibilidade de capital humano. A exportação contínua do modelo educacional americano, com a construção de campus americanos no Oriente Médio e Ásia Central, pode fomentar a atração e o prestígio global às universidades americanas.

CAPÍTULO 2

A Demografia da Discórdia

As tendências nas taxas de nascimento, mortalidade e migração estão mudando o tamanho absoluto e relativo das populacionais de idosos e jovens, rural e urbana e maiorias e minorias étnicas dentro e entre as potências emergentes e estabelecidas. Essas reconfigurações demográficas irão oferecer oportunidades sociais e econômicas para algumas potências e desafiar seriamente os arranjos estabelecidos em outras. As populações de mais de 50 países irão crescer aproximadamente mais de um terço (algumas até mais de dois terços) por volta de 2025, colocando mais tensão sobre os recursos naturais vitais, serviços e infra-estrutura. Dois terços desses países estão na África ao sul do Saara; a maioria dos outros países de rápido crescimento está no Oriente Médio e no sul da Ásia.

Populações crescendo, declinando e diversificando – ao mesmo tempo

Projeta-se que a população mundial irá crescer cerca de 1,2 bilhões entre 2009 e 20025 – de 6,8 bilhões para cerca de oito bilhões de pessoas. Embora o aumento populacional global seja substancial – como efeitos concomitantes sobre os recursos – a taxa de crescimento será mais lenta do que já foi, menor que o nível de 2,4 bilhões de pessoas entre 1980 e hoje. Os demógrafos projetam que a Ásia e a África responderão pela maior parte do crescimento populacional até 2025, enquanto menos de 3% do crescimento irá ocorrer no

O Oriente Médio ficará menos jovem

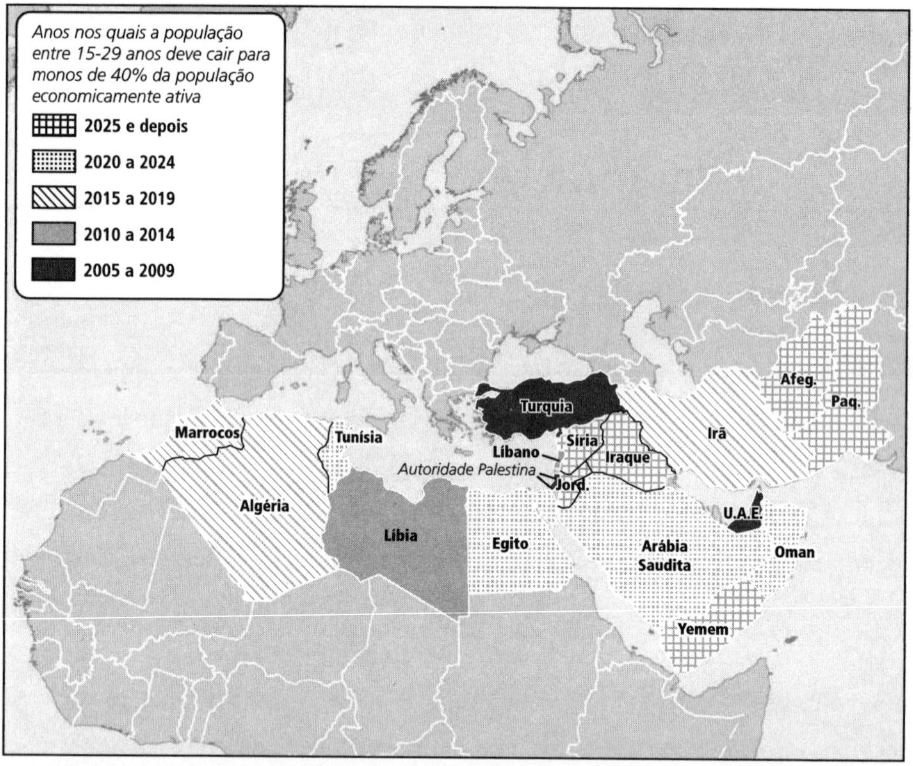

Fonte: dados do censo dos EUA

"Ocidente" – Europa, Japão, EUA, Canadá, Austrália e Nova Zelândia. Em 2025, aproximadamente 16% da humanidade viverá no Ocidente, um número menor que os 18% em 2009 e 24% em 1980.

- O maior aumento irá ocorrer na Índia, representando cerca de um quinto do crescimento total. Projeta-se que a população da Índia aumente em 240 milhões, atingido um total aproximado de 1,45 bilhões de pessoas. De 2009 a 2025, outro gigante asiático, China, deve ter sua população aumentada em 100 milhões da sua atual população de 1,3 bilhões[22].

22. Veja gráfico na página 84.

- No total, os países da África ao sul do Saara devem aumentar em 350 milhões de pessoas no mesmo período, enquanto os países da América Latina e do Caribe irão crescer em cerca de 100 milhões de pessoas.
- Entre 2008 e 2025, a Rússia, a Ucrânia, a Itália e quase todos os países da Europa Ocidental e o Japão devem ver suas populações caírem diversos pontos porcentuais. Esses declínios podem ultrapassar 10% das populações atuais da Rússia, Ucrânia e de outros países do leste europeu.
- As populações dos EUA, Canadá, Austrália e de outros países industriais com taxas de imigração relativamente altas continuarão a crescer – os EUA em mais de 40 milhões, o Canadá em cerca de 4,5 milhões e a Austrália em mais de 3 milhões.

Por volta de 2025, o já diversificado arranjo das estruturas etárias das populações nacionais promete ser mais variado do que nunca e o lapso entre os mais jovens e os mais velhos continuará a aumentar. Os países "mais velhos" – aqueles em que a população abaixo dos 30 anos representa menos de um terço da população – marcarão a parte norte do mapa mundial. Em contraste, os países "mais jovens", onde a população abaixo dos 30 anos representa 60% ou mais da população, estarão quase todos localizados na África ao sul do Saara[23].

O Boom dos aposentados: desafios das populações que envelhecem

As populações que estão envelhecendo levaram os atuais países desenvolvidos – com poucas exceções, como os EUA – a um "***ponto limite***" demográfico. Hoje, perto de 7 de cada 10 pessoas nos países desenvolvidos estão na idade produtiva tradicional (entre 15 e 64 anos) – uma marca alta. Esse número nunca foi tão alto e, de acordo com especialistas, nunca será novamente tão elevado.

23. Veja mapas na página 82.

Estrutura Etária Mundial em 2005 e a Projetada para 2025

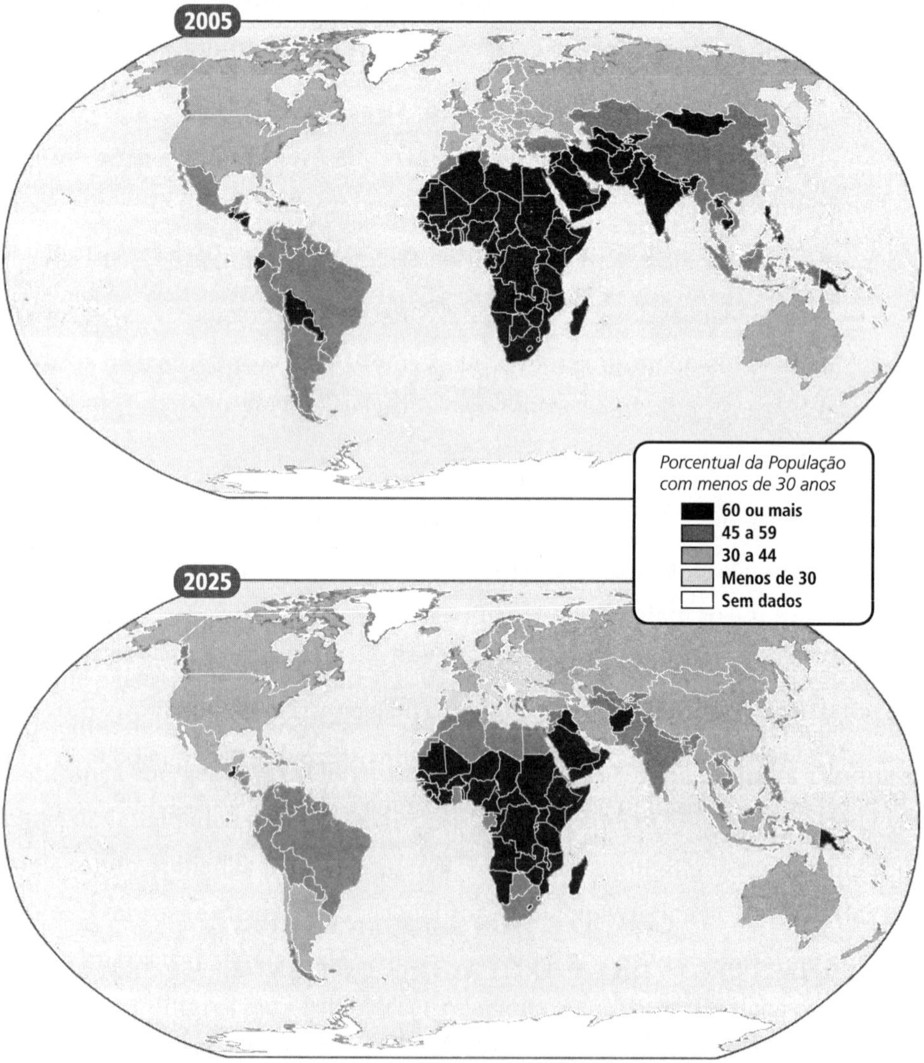

Fonte: dados do censo dos EUA

Em quase todos os países desenvolvidos, o período de crescimento mais rápido na proporção de idosos (65 anos de idade ou mais) em relação à população economicamente ativa acontecerá nas décadas de 2010 e 2020, aumentando o encargo fiscal de programas de benefícios para idosos. Por volta de 2010, haverá cerca de um idoso para cada quatro pessoas em idade economicamente ativa no mundo desenvolvido. Por volta de 2025, essa proporção terá subido para um a cada três e possivelmente mais.

- O Japão está em uma posição difícil: sua população economicamente ativa está encolhendo desde meados da década de 1990; e sua população geral desde 2005. As atuais projeções vêem uma sociedade onde, por volta de 2025, haverá um idoso para cada duas pessoas em idade economicamente ativa no Japão.
- O quadro na Europa Ocidental é mais diversificado. O Reino Unido, a França, a Bélgica, a Holanda e a Escandinávia tendem a manter as maiores taxas de fertilidade da Europa, mas devem continuar abaixo de dois filhos por mulher. No resto da região, a fertilidade irá provavelmente ficar abaixo de 1,5 filhos por mulher, igualada à taxa do Japão (e bem abaixo do nível de reposição de 2,1 filhos por mulher).

Aumentos maiores e contínuos da taxa de fertilidade, mesmo que começassem agora, não reverteriam a tendência de envelhecimento na Europa e no Japão. Se a fertilidade aumentasse até o nível de reposição na Europa ocidental, a proporção de pessoas idosas em relação às em idade ativa continuaria a aumentar até o final da década de 2030. No Japão, continuaria a aumentar até o final da década de 2040.

O nível anual de imigração líquida teria de dobrar ou triplicar para evitar que as populações economicamente ativas encolhessem na Europa Ocidental. Por volta de 2025, as populações minoritárias não européias podem atingir proporções significativas – 15% ou mais – em quase todos os países da Europa ocidental e terão uma estrutura etária substancialmente mais jovem do que a população nativa[24]. Devido ao crescente descontentamento com os níveis atuais de imigrantes entre os europeus nativos, tais aumentos acentuados deverão causar ainda mais tensões.

24. Veja página 82.

O envelhecimento das sociedades terá conseqüências econômicas. Mesmo com o aumento da produtividade, o crescimento mais lento do nível de empregos por conta do encolhimento da força de trabalho irá provavelmente reduzir o crescimento já morno do PIB europeu em cerca de 1%. Por volta da década de 2030, projeta-se que o crescimento do PIB japonês deve cair para quase zero, de acordo com alguns modelos. O custo de se tentar manter as aposentadorias e a saúde pública diminuirá os gastos com outras prioridades, como defesa.

Bolsões juvenis persistentes

Países com estrutura etária jovem e populações que crescem rapidamente formam uma meia lua, ou crescente, que se estende da região andina na América Latina, até a África ao sul do Saara, Oriente Médio, Cáucaso e partes da região norte do sul da Ásia. Por volta de 2025, o número de países que pertencem a esse "arco de instabilidade" terá decrescido em cerca de 35 – 40% devido ao

População total

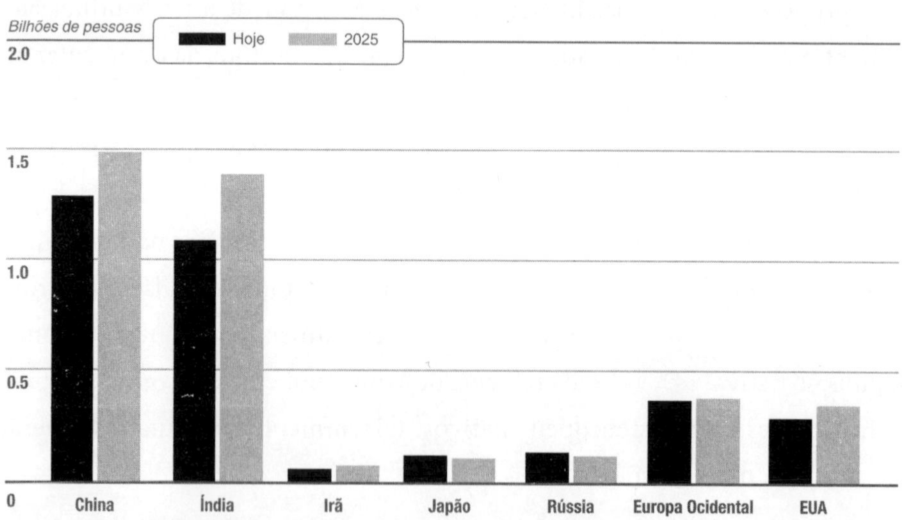

Fonte: dados do censo dos EUA

declínio da taxa de fertilidade e do envelhecimento das populações. Projeta-se que três quartos das três dúzias dos "países com bolsões juvenis" estarão, em 2025, localizados na África ao sul do Saara. Os restantes estarão localizados no Oriente Médio e espalhados através da Ásia e entre as ilhas do Pacífico.

- A emergência de novos tigres econômicos por volta de 2025 pode ocorrer nos locais onde os bolsões de juventude amadureçam e se transformem em "bolsões de trabalhadores". Especialistas argumentam que esse bônus demográfico é mais vantajoso quando o país oferece uma força de trabalho educada e um ambiente de negócios amistoso para os investimentos. Beneficiários em potencial incluem a Turquia, o Líbano, o Irã, os países do Magrebe no norte da África (Marrocos, Argélia e Tunísia), Colômbia, Costa Rica, Chile, Vietnã, Indonésia e Malásia. Os atuais bolsões juvenis nos Estados do Magrebe, Turquia, Líbano e Irã irão diminuir rapidamente, mas os localizados na Faixa de Gaza, Iraque, Iêmen, Arábia Saudita e nos vizinhos Afeganistão e Paquistão irão persistir até 2025. A não ser que as condições de desemprego mudem

O Impacto do HIV/AIDS

Nem uma vacina eficiente contra o HIV nem um microbicida auto-administrado, mesmo que desenvolvido e testado até 2025, deve ser disseminado até essa data. Embora os esforços de prevenção e as mudanças comportamentais locais diminuirão as taxas de infecção globalmente, os especialistas esperam de o HIV/AIDS continue sendo uma pandemia global até 2025, com o epicentro de infecção na África ao sul do Saara. Diferentemente de hoje, a grande maioria de pessoas infectadas com o HIV terão acesso a terapias anti-retroviral que aumentam a expectativa de vida.

- Se os esforços e a eficiência da prevenção continuarem nos níveis atuais, a população com HIV positivo deve subir ao redor de 50 milhões em 2025 – dos 33 milhões atuais (22 milhões na África ao sul do Saara). Nesse cenário, de 25 a 30 milhões de pessoas irão precisar de terapia anti-retroviral para sobreviver em 2025.
- Em outro cenário, o qual assume a prevenção total em alta escala até 2015, a população infectada chegaria ao pico e, então, cairia para 25 milhões no mundo todo por volta de 2025, levando o número de pacientes que precisam de terapia anti-retroviral para entre 15 e 20 milhões de pessoas.

drasticamente, a juventude em países fracos continuará a ir a outros lugares – externalizando volatilidade e violência. As populações de países com bolsões juvenis que já são perigosos – como o Afeganistão, a República Democrática do Congo (RDC), Etiópia, Nigéria, Paquistão e Iêmen – devem continuar com trajetórias de crescimento rápido. As populações do Paquistão e da Nigéria estão previstas para aumentar em cerca de 55 milhões de pessoas em cada país. A Etiópia e a RDC devem aumentar em 40 milhões cada uma, enquanto as populações do Afeganistão e do Iêmen devem crescer mais de 50%. Todos terão estruturas etárias com grandes proporções de jovens, uma característica demográfica associada à emergência de violência política e conflito civil.

Lugares que mudam: migração, urbanização e mudanças étnicas

Experiências móveis. A migração líquida de pessoas da área rural para a urbana e dos países mais ricos aos mais pobres tende a continuar em um nível veloz em 2025, impulsionada pelo maior desnível da segurança econômica e física entre regiões adjacentes.

- A Europa continuará a atrair migrantes de regiões africanas e asiáticas mais jovens, menos desenvolvidas e de crescimento rápido. No entanto, outros centros emergentes de industrialização – China, as regiões do sul da Índia e, possivelmente, a Turquia e o Irã – podem atrair parte dessa migração da força de trabalho, na medida em que o crescimento de suas populações economicamente ativas diminui e os salários aumentam.
- A migração do trabalho para os EUA irá, provavelmente, diminuir à medida em que a base industrial do México cresce e sua população envelhece – uma resposta às rápidas quedas de fertilidade nas décadas de 1980 e 1990 – e conforme centros concorrentes de desenvolvimento emergem no Brasil e no Cone Sul.

Urbanização. Se a tendência atual persistir, por volta de 2025, cerca de 57% da população mundial irá viver em áreas urbanas, mais do que a média atual de 50%. Por volta de 2025, o mundo acrescentará outras oito megacidades à atual lista de 19 – das quais sete serão na Ásia e na África ao sul do Saara. A maior parte do crescimento urbano, porém, irá ocorrer em cidades e regiões menores, que estão se expandindo ao longo de auto-estradas, junções de vias e costas, quase sempre sem um setor formal de trabalho e sem serviços adequados.

Identidade demográfica. Nos locais onde grupos étnico-religiosos experimentaram a transição para menores taxas de natalidade em ritmos diferentes, bolsões étnicos de juventude persistentes e mudanças nas proporções dos grupos podem provocar mudanças políticas significativas. Mudanças na composição étnico-religiosa resultantes da migração também podem impulsionar mudanças políticas, particularmente onde os imigrantes se estabelecem em países industrializados de baixa fertilidade.

- Taxas diferentes de crescimento entre as comunidades étnicas de Israel podem proporcionar mudanças políticas no Knesset (o parlamento israelense). Por volta de 2025, os árabes israelenses, que atualmente representam um quinto da população, representarão cerca de um quarto da população estimada de Israel de cerca de nove milhões. No mesmo período, a comunidade de judeus ultra-ortodoxos deve quase dobrar, tornando-se maior do que 10% da população.

- Independentemente de seu status político em 2025, as populações da Margem Ocidental do Jordão, cerca de 2,6 milhões de pessoas, e da faixa de Gaza, hoje 1,5 milhões, terão crescido substancialmente: a margem ocidental cerca de 40% e Gaza quase 60%. Sua população combinada em 2025 – ainda jovem, crescente e aproximando-se de seis milhões (ou excedendo esse número, de acordo com algumas projeções) – promete introduzir mais desafios para as instituições que esperam gerar emprego e serviços públicos adequados, manter disponibilidade suficiente de água potável e alimentos e conquistar estabilidade política.

Uma série de outras mudanças étnicas de hoje a 2025 terão implicações regionais. Por exemplo, proporções maiores de indígenas em diversas democracias andinas e centro-americanas devem continuar a empurrar os governos desses países em direção ao populismo. No Líbano, o contínuo declínio da fertilidade da população xiita, que atualmente fica atrás de seus vizinhos em termos de renda e os excede em termos de tamanho de família, trará uma estrutura etária mais madura a essa comunidade – e pode aprofundar a integração xiita na vida econômica e política do Líbano, enfraquecendo as tensões entre comunidades.

A Europa ocidental se tornou o destino escolhido por mais de um milhão de imigrantes anuais e lar de 35 milhões de estrangeiros – muitos dos países de maioria muçulmana do Norte da África, Oriente Médio e sul da Ásia[25]. As políticas de imigração e de integração e confrontos com os conservadores muçulmanos sobre educação, direitos da mulher e a relação entre Estado e religião devem fortalecer as instituições políticas de centro-direita e dividir as coalizões políticas de centro-esquerda que foram instrumentais na construção e manutenção do bem-estar dos países europeus.

Por volta de 2025, o capital humano e a transferência tecnológica provocada pela migração internacional irão favorecer os países mais estáveis da Ásia e da América Latina. Apesar de a emigração de profissionais provavelmente continuar a desprover de talentos os países pobres e instáveis da África e partes do Oriente Médio, o retorno dos EUA e da Europa de muitos asiáticos e latino-americanos ricos e educados irá ajudar a incrementar a competitividade da China, Brasil, Índia e México.

Retratos demográficos: Rússia, China, Índia e Irã

Rússia: Um país cada vez mais multiétnico? Atualmente um país com 141 milhões de pessoas, a população russa projeta uma queda abaixo dos 130

25. Veja Box na página 90.

milhões para 2025. As chances de diminuir tal declínio durante esse período são pequenas: a população de mulheres com cerca de 20 anos – principal época para se ter filhos – estará declinando rapidamente, representando 55% do número atual por volta de 2025.

A alta taxa de mortalidade de homens de meia idade não deve mudar de forma dramática. As minorias muçulmanas que mantiverem altas taxas de fertilidade compreenderão proporções maiores da população russa, bem como imigrantes turcos e chineses. De acordo com algumas projeções conservadoras, a minoria muçulmana russa crescerá dos 14% em 2005 para 19% em 2030 e 23% em 2050. Em uma população que encolhe, a maior proporção da população composta de não eslavos ortodoxos deve provocar retrocessos nacionalistas. Por causa dos problemas de fertilidade e de mortalidade da Rússia, que devem persistir até 2025, a economia da Rússia – diferentemente das economias da Europa e do Japão – terá de suportar uma maior proporção de dependentes.

China Idosa? Por volta de 2025, os demógrafos esperam que a China tenha quase 1,4 bilhões de pessoas, perto de 100 milhões acima da sua população atual. As condições vantajosas de ter uma população economicamente ativa relativamente grande e uma pequena proporção de dependentes idosos e crianças começará a diminuir por volta de 2015, quando o tamanho da população economicamente ativa começará a declinar. A demografia composta por mais idosos – o início de uma proporção crescente de aposentados e relativamente menos trabalhadores – está sendo acelerada por décadas de política de limite de natalidade e por uma tradição de aposentadoria cedo. Ao optar por um crescimento populacional mais vagaroso a fim de mitigar crescente demanda por energia, água e alimentos, a China está acelerando o envelhecimento da sua população. Por volta de 2025, uma grande parcela da população chinesa estará aposentada ou para se aposentar. Apesar de a China tender a reverter sua política de controle de natalidade para conseguir um maior equilíbrio entre o número de meninos e de meninas, o número de adultos em idade de casamento em 2025 terá uma predominância maior de homens, o que implicará em grande quantidade de homens solteiros.

Muçulmanos na Europa Ocidental

A população muçulmana da Europa Ocidental é, atualmente, 15 a 18 milhões. As maiores proporções de muçulmanos - entre 6 e 8% - estão na França (cinco milhões) e nos Países Baixos (perto de um milhão), seguidos por países com 4 a 6%: Alemanha (3,5 milhões), Dinamarca (300 mil), Áustria (500 mil) e Suíça (350 mil). O Reino Unido e a Itália também têm grandes populações muçulmanas, 1,8 milhões e um milhão, respectivamente, embora constituam uma parcela menor da população (3 e 1,7%, respectivamente). Se os padrões atuais de imigração e a taxa de fertilidade acima da média dos residentes muçulmanos continuar, a Europa Ocidental poderá ter de 25 a 30 milhões de muçulmanos por volta de 2025.

Os países com números crescentes de muçulmanos experimentarão uma rápida mudança na composição étnica, particularmente ao redor das áreas urbanas, complicando potencialmente os esforços para facilitar a assimilação e a integração. As oportunidades econômicas também tendem a ser maiores nas áreas urbanas, mas, na ausência do crescimento da oferta de trabalho, a crescente concentração de recursos pode levar a situações instáveis, como os tumultos que ocorreram nos subúrbio de Paris em 2005*.

Taxas de crescimento baixas, mercados de trabalho altamente regulados e políticas empresarias, se mantidas, tornarão difícil o aumento da oferta de empregos, apesar da necessidade da Europa de compensar o declínio do envelhecimento da população economicamente ativa. Quando somados à discriminação no trabalho e desvantagens nos níveis de educação, esses fatores devem confinar os muçulmanos a trabalhos de pequeno status e salários baixos, o que aumentará ainda mais a segmentação étnica. Apesar do grande número de muçulmanos integrados, um número crescente - impulsionado por um sentido de alienação, descontentamento e injustiça - tende a valorizar a separação de áreas com práticas culturais e religiosas especificamente muçulmanas.

Embora comunidades imigrantes não tendam a conquistar suficiente representação parlamentar para ditar a agenda doméstica ou externa até 2025, temas relacionados aos muçulmanos terão cada vez mais atenção e ajudarão a moldar a cena política européia. A contínua tensão social e política oriunda da integração dos muçulmanos deve sensibilizar cada vez mais os líderes políticos com relação às repercussões domésticas em potencial de qualquer política externa adotada para o Oriente Médio, inclusive o alinhamento junto aos EUA nas políticas vistas como pró-Israel.

---

* Por conta da morte acidental de dois jovens muçulmanos quando fugiam da polícia em outubro e novembro de 2005, centenas de jovens islâmicos se amotinaram e tomaram as ruas de subúrbios de Paris provocando a maior onda de violência urbana desde 1968. O evento se iniciou no subúrbio de Clichy-sous-Bois e se alastrou por diversas comunas. O então presidente Jacques Chirac chegou a declarar estado de emergência - estendido depois pelo Parlamento por três meses - e decretou toque de recolher - N. do T.

Duas índias. A atual taxa de fertilidade da Índia de 2,8 crianças por mulher mascara grandes diferenças entre os estados de baixa fertilidade no sul do país e dos centros comerciais de Mumbai, Déli e Calcutá e os estados de alta fertilidade do chamado cinto de língua hindu, no norte, onde o status da mulher é inferior e os serviços, atrasados. Em grande parte devido ao crescimento dos estados indianos do norte, densamente povoados, a população da Índia deve ultrapassar a da China por volta de 2025 – no momento em que a população chinesa atingir seu pico e começar vagarosamente a declinar.

Nessa época, a dualidade demográfica da Índia terá aumentado as diferenças entre o norte e o sul. Ao redor de 2025, a maior parte do crescimento da força de trabalho indiana virá dos distritos pior educados, mais pobres e populosos do norte rural do país. Apesar de famílias de empresários do norte da Índia terem vivido durante décadas nas cidades do sul, a chegada de comunidades inteiras de trabalhadores desqualificados falantes de híndi em busca de trabalho pode reacender animosidades dormentes entre o governo central e os partidos étnico-nacionalistas do sul.

A trajetória única do Irã. Tendo vivido um dos mais rápidos declínios na taxa de natalidade da História – de mais de seis filhos por mulher em 1985 para menos de dois hoje – a população do Irã está destinada a sofrer mudanças drásticas até 2025. A inquietude política do país e o bolsão juvenil faminto por trabalho estarão quase inteiramente dissipados na próxima década, dando lugar a uma população mais velha e a um crescimento da força de trabalho comparável aos atuais níveis dos EUA e da China (cerca de 1% por ano). Nesse período, a população com idade para trabalhar aumentará em relação ao número de crianças, criando oportunidades para incrementar a poupança, conseguir melhor educação e migrar para indústrias mais técnicas, aumentando o padrão de vida. Se o Irã irá tirar vantagens desses bônus demográfico dependerá da liderança política do país, que, no presente, é contrária ao mercado e aos negócios privados, preocupante para os investidores e mais focada em rendas da venda de petróleo do que na geração de empregos.

Duas quase certezas em relação à demografia são aparentes: primeiro, apesar da baixa fertilidade, a população do Irã de 66 milhões crescerá até cerca de 77 milhões até 2025. Segundo, nessa época, um novo bolsão juvenil (um eco produzido pelos nascimentos do atual bolsão juvenil) estará em ascensão – mas nesse futuro bolsão, pessoas de 15 a 24 anos responderão por apenas um sexto do grupo em idade produtiva, em comparação com o um terço de hoje. Alguns especialistas acreditam que esse "bolsão eco" indica uma tendência à volta das políticas revolucionárias. Outros especulam que, no Irã mais educado e desenvolvido de 2025, jovens adultos acharão que seguir uma carreira e ser um consumidor é mais atraente do que se engajar nas políticas extremistas. Apenas um aspecto do futuro do Irã é certo: sua sociedade será demograficamente mais madura do que nunca e muito diferente dos seus vizinhos.

CAPÍTULO 3

Os Novos Jogadores

Por volta de 2025, os EUA estarão na posição de ser um entre vários atores importantes no palco mundial, apesar de continuar a ser o mais poderoso individualmente. A influência política e econômica relativas de muitos países terá mudado por volta de 2025, de acordo com um modelo de futuros internacionais que mede o PIB, gastos com a defesa, população e tecnologia para países individuais[26]. Historicamente, sistemas multipolares *emergentes* tem sido mais instáveis que os bipolares ou unipolares. A maior diversidade e crescente poder de mais países pressagia menos coesão e eficiência para o sistema internacional. A maior parte das potências emergentes já quer maior poder de decisão e, junto com muitos europeus, disputam a noção de que qualquer poder tem o direito de exercer hegemonia. O potencial para menos coesão e mais instabilidade também é sugerido pelos declínios relativamente fortes do poder da Europa e do Japão.

Apesar de acreditarmos que há boas chances para que a China e a Índia continuem a ascender, sua ascensão não está garantida e precisará superar seus grandes obstáculos econômicos e sociais. Por conta disso, os dois países devem continuar com seu foco voltado para si mesmos e a riqueza per capita ficará bem atrás daquela das economias ocidentais por todo o período até 2025

26. A pontuação do poder nacional é um índice que combina os fatores PIB, gastos com a defesa, população e tecnologia. Os pontos são calculados pelo modelo de computador International Futures e são expressos como a parcela relativa [percentual] de todo o poder global. veja gráfico na página 28.

Novos Líderes Internacionais em 2025?

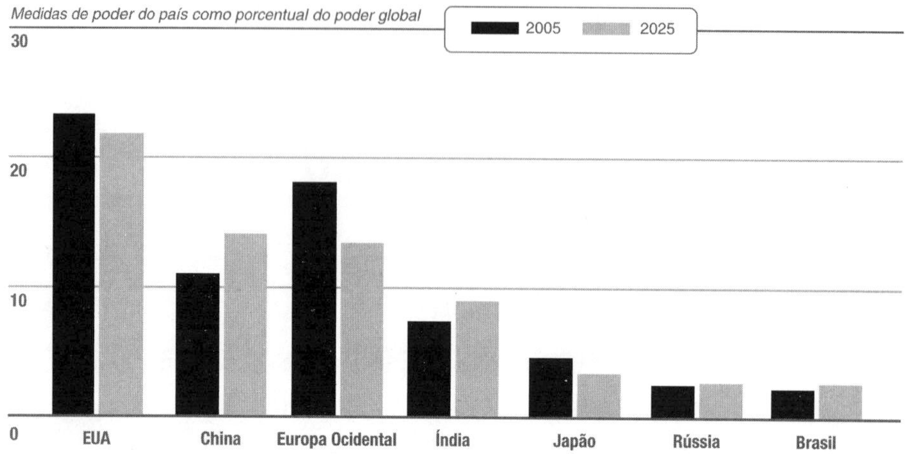

Fonte: International Future Model

e além. Os indivíduos nessas economias emergentes devem se sentir ainda mais pobres em relação aos ocidentais, mesmo apesar de o seu PIB coletivo ultrapassar cada vez mais os dos países ocidentais individualmente. Pode ser extremamente difícil para a Rússia se manter na ótima posição que conquistou desde sua marcante recuperação no final dos anos 1990 e na primeira década do século XXI. O futuro demográfico é incerto, mas diversificar a economia de forma que a Rússia possa manter sua posição depois que o mundo migrar dos combustíveis fósseis para outras fontes de energia será essencial para determinar sua trajetória no longo prazo.

Apesar de a ascensão de nenhum outro país poder se igualar ao impacto do surgimento de países populosos com a China e a Índia, outros países com economias de alta eficiência – Irã, Indonésia e Turquia, por exemplo – poderão exercer papéis cada vez mais importantes no palco mundial e especialmente para estabelecer novos padrões no mundo muçulmano.

> *"Poucos países devem ter mais impacto no mundo nos próximos 15-20 anos do que a China."*

Pesos-pesados emergentes: China e Índia

China: enfrentando buracos na estrada. Poucos países devem ter mais impacto no mundo nos próximos 15-20 anos do que a China. Se as tendências atuais persistirem, por volta de 2025 a China terá a segunda maior economia do mundo e será uma das principais potências militares. Também poderá ser o maior importador de recursos naturais e um poluidor pior do que já é hoje.

- Os interesses econômicos e de segurança dos EUA podem ser desafiados, se a China se tornar um concorrente forte em termos militares, possuir uma economia dinâmica e tiver fome de energia.

O ritmo do crescimento econômico da China quase certamente diminuirá, ou até mesmo retroceder, mesmo se reformas adicionais para combater as pressões sociais que surgem em função da grande disparidade de renda, uma rede de segurança social falha, regulamentações comerciais fracas, dependência de fontes estrangeiras de energia, corrupção continuada e devastação ambiental. Qualquer um desses problemas pode ser resolvido isoladamente, mas o país pode ser atingido por uma "grande tempestade", se muitos desses problemas exigirem atenção de uma só vez. Mesmo se o governo chinês puder administrar esses problemas, não terá a habilidade de garantir grandes níveis de resultado econômico. A maior parte do crescimento econômico da China continuará a ser impulsionado domesticamente, mas setores-chave dependem dos mercados estrangeiros, recursos e tecnologia, bem como de redes de produção globalizadas. Como resultado, a saúde econômica da China será afetada pela economia de outros países – particularmente dos EUA e da União Européia.

Ao buscar resolver esses problemas, os líderes chineses deverão equilibrar a abertura necessária para sustentar o crescimento econômico – essencial à tolerância pública em relação ao monopólio político do Partido Comunista – contra as restrições necessárias para proteger tal monopólio. Para enfrentar tantos desafios sociais e econômicos, o Partido Comunista deve passar por transformações. De fato, os próprios líderes do Partido Comunista falam abertamente sobre a necessidade de conquistar a aceitação pública para o papel dominante do partido. Até agora, porém, esse esforço não incluiu abertura do sistema para eleições livres nem para a imprensa sem censura. Além do mais, para deter a "grande tempestade" acima descrita, não antevemos pressões sociais forçando a verdadeira democracia na China por volta de 2025. Dito isto, o país pode estar se movendo na direção de um maior pluralismo político e mais governança.

Os líderes políticos, porém, podem continuar a administrar as tensões ao conseguir crescimento significativo sem prejudicar o monopólio político do partido, como têm feito nas três últimas décadas. Apesar de uma depressão prolongada poder colocar uma séria ameaça política, o regime ficará tentado a desviar a crítica pública culpando a interferência estrangeira pelas mazelas da China, estimulando as formas mais virulentas e xenófobas do nacionalismo chinês.

- Historicamente, as pessoas que se acostumam a altos padrões de vida reagem fortemente quando suas expectativas deixam de ser satisfeitas e poucos povos já tiveram tantos motivos para essas expectativas do que os chineses.
- A liderança internacional da China é baseada em parte nos cálculos estrangeiros de que a China é "o país do futuro". Se os estrangeiros tratarem o país com menos deferência, os chineses nacionalistas podem responder de forma colérica.

Índia: uma ascensão complicada. Durante os próximos 15-20 anos, os líderes chineses lutarão por um sistema internacional multipolar, com Nova Déli sendo um dos pólos e servindo de ponte política e cultural entre uma China ascendente e os EUA. A crescente confiança internacional da Índia, derivada basicamente de seu crescimento econômico e sua bem sucedida democracia, impulsiona agora Nova Déli rumo a parcerias com muitos países. Entretanto, essas parcerias são destinadas a maximizar a autonomia da Índia, não em alinhar a Índia com qualquer país ou coalizão internacional.

A Índia provavelmente continuará a ter um crescimento econômico relativamente rápido. Embora o país tenha deficiências em sua infra-estrutura doméstica, mão-de-obra qualificada e produção de energia, esperamos que a classe média indiana em franca expansão, população jovem, confiança na produção agrícola e altos níveis de poupança e de investimento impulsionem o crescimento econômico continuado. O impressionante crescimento econômico da Índia nos últimos 15 anos reduziu o número de pessoas que vivem na pobreza absoluta, mas o crescente vão entre os ricos e pobres se tornará um importante tema político.

Acreditamos que os indianos permanecerão fortemente comprometidos com a democracia, mas o regime pode se tornar mais fragmentado e fracionado, com o poder nacional sendo compartilhado por sucessivas coalizões políticas. Eleições futuras deverão acomodar múltiplos lados, o que resultará em coalizões inadequadas com mandatos sem clareza. A direção geral da política econômica não deve ser revertida, mas o ritmo e a escala da reforma irão flutuar.

Insurgências regionais e étnicas que têm sido um cancro na Índia desde sua independência devem persistir, mas não ameaçarão a unidade do país. Entendemos que Nova Déli continuará confiante de que pode conter o movimento separatista da Caxemira. No entanto, a Índia deve viver ainda mais violência e instabilidade em diversas partes do país por causa da crescente influencia do movimento maoísta Naxalite[27].

Os líderes indianos não vêem Washington como seu patrono econômico ou militar e agora acreditam que a situação internacional tornou desnecessário esse bem-feitor. Nova Déli, porém, irá buscar os benefícios dos laços favoráveis com os EUA, parcialmente, também, como uma barreira contra quaisquer desenvolvimentos de hostilidade com a China. Os líderes indianos estão convencidos de que o capital, a tecnologia e a boa vontade dos EUA são essenciais para a ascensão da Índia como potência global. Os EUA continuarão a ser um dos maiores destinos de exportação da Índia, a chave para as instituições

---

27. Grupos comunistas de orientação maoísta nascidos no seio do movimento comunista indiano quando da ruptura sino-soviética. Algumas facções naxalites são considerados terroristas pelo governo de Nova Déli – N. do T.

financeiras internacionais como o Banco Mundial e para empréstimos comerciais estrangeiros e a maior fonte de remessas monetárias. A diáspora indiana – composta em grande parte de profissionais altamente qualificados – continuará a ser um elemento-chave no aprofundamento da relação EUA-Índia. O mercado indiano para produtos americanos crescerá substancialmente conforme Nova Déli reduz as restrições ao comércio e ao investimento. O poderio militar da Índia também estará ansioso para se beneficiar dos laços mais estreitos com Washington. Os líderes indianos, porém, provavelmente evitarão formar laços que possam parecer aliança.

"A Rússia tem potencial para se tornar mais rica, mais poderosa e mais proeminente em 2025... [mas] múltiplos problemas podem limitar a capacidade da Rússia de realizar seu potencial econômico total."

Outros jogadores-chave

O caminho da Rússia: desenvolver ou falir. A Rússia tem potencial para se tornar mais rica, mais poderosa e mais proeminente em 2025, se ela investir em capital humano, expandir e diversificar sua economia e se integrar aos mercados globais. Por outro lado, múltiplos problemas podem limitar a capacidade da Rússia de realizar seu potencial econômico total. Os principais incluem queda nos investimento em energia, gargalos essenciais de infra-estrutura, sistema educacional decadente, um setor bancário subdesenvolvido, crime e corrupção. Uma conversão a combustíveis alternativos mais cedo do que o esperado ou uma queda continuada nos preços globais de gás e petróleo antes de a Rússia ter tempo de desenvolver uma economia mais diversificada irão provavelmente prejudicar o crescimento econômico.

O declínio da população russa por volta de 2025 forçará escolhas políticas difíceis. Por volta de 2017, por exemplo, a Rússia deverá ter apenas 650 mil homens com 18 anos de idade com os quais deverá manter um exército que hoje conta com 750 mil convocados. O declínio populacional também pode representar um custo econômico com grande diminuição da força de trabalho, particularmente se a Rússia não investir mais no seu capital humano existente, reconstruir sua base científica e tecnológica e empregar trabalhadores migrantes.

Se a Rússia diversificar sua economia, ela poderá desenvolver um sistema político mais pluralista – embora não democrático –, resultado da consolidação institucional, de uma classe média maior e da emergência de novos atores exigindo participação.

Uma política internacional mais proativa e influente parece viável, refletindo a emergência de Moscou como grande ator no palco mundial; um parceiro importante para os capitais ocidental e asiático; e uma força líder a se opor ao domínio global dos EUA. O controle de núcleos produtores de energia no Cáucaso e na Ásia Central será uma força impulsionadora no restabelecimento de uma esfera de influência entre seus vizinhos – algo vital para a realização de suas ambições como uma superpotência energética. As percepções comuns em relação às ameaças do terrorismo e do radicalismo islâmico podem alinhar mais estreitamente as políticas de segurança russa e ocidental, apesar de discordarem em outros tópicos e da persistente "diferença de valores".

O leque de possibilidades futuras para a Rússia continua amplo por conta de forças muito diferentes – tendências liberais econômicas versus tendências políticas não liberais. A tensão entre as duas tendências – juntamente com a sensibilidade russa às descontinuidades em potencial causadas pela instabilidade política, uma grande crise estrangeira ou outros fatores – torna impossível excluir futuros alternativos como o país se tornar um petro-Estado nacionalista e autoritário ou até mesmo uma ditadura. Menos provável é que a Rússia se torne um país significativamente mais aberto e progressista até 2025.

Europa: perdendo influência em 2025. Acreditamos que em 2025 a Europa terá feito poucos progressos em relação à realização da visão dos atuais líderes e elites: um ator global coeso, integrado e influente capaz de empregar de maneira independente todo um espectro de ferramentas políticas, econômicas e militares para apoiar os ideais universais e interesses europeus e ocidentais. A União Européia precisaria corrigir desnível perceptível de democracia dividindo Bruxelas[28] dos eleitores europeus e evitando o debate sobre suas estruturas institucionais. A UE estará em posição de sustentar a estabilidade política e a democratização na periferia européia ao incorporar novos membros da Bálcãs e talvez a Ucrânia e a Turquia. Não obstante, o fracasso continuado em convencer um público cético dos benefícios de uma integração econômica, política e social mais profunda e que também é incapaz de perceber as implicações de uma população que encolhe e envelhece cada vez mais pode fazer da UE um gigante lento e distraído pelas picuinhas internas e objetivos nacionais concorrentes, menos capaz de transformar sua força econômica em influência global.

A queda da população economicamente ativa será um teste severo para o modelo de bem estar social europeu, uma das pedras fundamentais da coesão política da Europa ocidental desde a Segunda Guerra Mundial. O progresso e a liberalização econômica devem continuar apenas em passos graduais até que as populações mais velhas, ou uma estagnação econômica prolongada, force mudanças mais dramáticas - uma crise que poderá chegar apenas no meio ou no final da próxima década e continuar por mais tempo. Não há soluções fáceis para os déficits demográficos da Europa, a não ser as prováveis reduções nos benefícios de saúde e aposentadoria, os quais a maioria dos países ainda não começaram a implementar ou nem mesmo a contemplar. Os gastos com defesa devem ser cortados ainda mais para evitar a necessidade de reconstruir os programas de benefícios sociais. O desafio de integrar as comunidades de imigrantes, especialmente muçulmanos, se tornará séria, se os cidadãos desfiados por tal baixa de expectativas recorrerem ao nacionalismo e se concentrarem em interesses paroquiais, conforme aconteceu no passado.

A perspectiva estratégica da Europa deve permanecer menor do que a de Washington, mesmo se a UE tiver sucesso em realizar as reformas que criaram um "presidente europeu" e desenvolver maiores capacidades institucionais para gerenciamento de crises. Percepções divergentes de ameaça e a tendência de que os gastos em defesa continuem descoordenados sugerem que a UE não

28. Capital da União Européia – N. do T.

será uma grande potência militar por volta de 2025. Os interesses nacionais das maiores potências continuarão a complicar a política externa e de segurança da UE, e o apoio europeu para a OTAN pode se desgastar.

A questão da inclusão da Turquia como membro da União Européia será um teste do foco exterior europeu no período de agora a 2025. As dúvidas crescentes sobre as chances da Turquia devem desacelerar a implementação de reformas políticas e de direitos humanos no país. Quaisquer rejeições podem ter maiores repercussões, reforçando os argumentos feitos no mundo muçulmano – inclusive entre as minorias muçulmanas européias – sobre a incompatibilidade entre o Ocidente e o Islã. O crime pode ser uma das mais graves ameaças da Europa, conforme as organizações transnacionais da Eurásia – oriundas do envolvimento nas transações com energia e minérios – se tornarem mais poderosas e ampliarem seu escopo. Um ou mais governos da Europa Central e Oriental podem se tornar presas dessas organizações.

Em 2025, a Europa continuará muito dependente da Rússia em termos de energia, apesar dos esforços para promover eficiência energética e energia renovável, além da busca de diminuir a emissão de gases de efeito estufa. Níveis variados de dependência, diferentes perspectivas da maturidade democrática da Rússia e suas intenções econômicas e um fracasso em se conseguir um consenso sobre o papel de Bruxelas estão prejudicando os esforços iniciais no sentido de desenvolver políticas da UE que sejam comuns a todos os seus membros sobre diversificação das fontes de energia e sobre segurança. Na ausência de uma abordagem coletiva que reduzisse a influência da Rússia, essa dependência promoverá constante submissão a Moscou por parte de alguns dos principais países – inclusive da Alemanha e Itália –, que vêem a Rússia como um fornecedor confiável. A Europa pode pagar um preço alto por sua grande dependência, especialmente se as empresas russas não forem capazes de cumprir contratos por conta da falta de investimentos nos seus campos de gás natural ou se a crescente corrupção e envolvimento do crime organizado no setor de energia da Eurásia se expandirem e contaminarem os interesses comerciais ocidentais.

Japão: pego entre os EUA e a China. O Japão passará por uma grande reorientação de suas políticas doméstica e externa por volta de 2025, mantendo, porém, seu status de grande potência entre as potências médias. Em termos domésticos, os sistemas político, social e econômico japoneses deverão ser igualmente reestruturados para responder ao declínio demográfico, uma base industrial que está envelhecendo e uma situação política mais volátil. A diminuição da população japonesa pode forçar as autoridades a considerar novas políticas de imigração, como uma opção por vistos de longo prazo para trabalhadores visitantes. Os japoneses, porém, terão dificuldade de superar sua relutância em naturalizar os estrangeiros. O envelhecimento da população também irá fomentar o desenvolvimento dos sistemas de saúde e de moradia do país para acomodar maior número de idosos dependentes.

O encolhimento da força de trabalho – e as aversões culturais japonesas ao trabalho imigrante – pressionarão fortemente os serviços sociais do Japão e a receita fiscal, levando ao aumento de impostos e ao estímulo à maior concorrência no setor doméstico para baixar os preços dos produtos de consumo. Vislumbramos uma reestruturação continuada das indústrias exportadoras japonesas, com maior ênfase nos produtos de alta tecnologia, produção com valor agregado e tecnologias de informação. O encolhimento do setor agrícola japonês continuará, talvez abaixo de 2% da força de trabalho, com um aumento correspondente nos pagamentos de importação de alimentos. A população economicamente ativa, declinando em números absolutos, inclui um grande número de desempregados e cidadãos sem treinamento no final da adolescência e início da faixa dos 20 anos. Isso poderá levar a uma falta de executivos.

Com cada vez maior concorrência eleitoral, o sistema político de partido único do Japão estará, provavelmente, totalmente desintegrado por volta de 2025. O Partido Liberal Democrata pode se dividir em vários partidos concorrentes, mas é mais provável que o Japão testemunhe uma contínua divisão e fusão de partidos políticos concorrentes, levando à paralisia política.

A política externa japonesa será influenciada principalmente pelas políticas chinesas e americanas, onde quatro cenários são possíveis.

- No primeiro cenário, uma China que continue seu atual padrão de crescimento econômico será cada vez mais importante para o crescimento econômico do Japão, e Tóquio trabalhará para manter boas relações políticas e aumentar o mercado de acesso aos produtos japoneses. Tóquio pode procurar firmar um acordo de livre comércio com Pequim bem antes de 2025. Ao mesmo tempo, o poder militar e a influência da China na região atrairá cada vez mais preocupação dos líderes políticos japoneses. Sua resposta mais provável será se aproximar ainda mais dos EUA, expandir sua defesa de mísseis e sua capacidade de responder a ataques por submarino, buscar desenvolver aliados regionais como a Coréia do Sul e fomentar o desenvolvimento de organizações internacionais multilaterais do extremo Oriente, inclusive uma reunião de cúpula da Ásia Oriental.

- Em um segundo cenário, o crescimento econômico da China é interrompido ou suas políticas se tornam abertamente hostis aos países da região. Como resposta, Tóquio procuraria garantir sua influência, em parte auxiliando Estados democráticos na Ásia Oriental e em parte continuando a desenvolver seu poder nacional através de equipamento militar avançado. Tóquio julgaria ter forte apoio de Washington nessas circunstâncias e promoveria fóruns econômicos da região para isolar ou limitar a influência chinesa. Isso colocaria aos países da região uma difícil escolha a fazer entre seu crescente desconforto com o poderio militar japonês e uma China que tem o potencial de dominar praticamente todas as nações próximas ao seu território. Como resultado, o Japão poderia se ver tratando com um movimento de países da Ásia Oriental não alinhados e buscando não se tornarem presas nem de Pequim nem Tóquio.

- Em um terceiro cenário, se o compromisso dos EUA com a segurança do Japão enfraquecer, ou for percebido por Tóquio como tendo enfraquecido, o Japão pode se aproximar de Pequim em relação a temas regionais e até mesmo considerar arranjos de segurança que conferem à China o papel de real mantenedor da estabilidade nas áreas oceânicas próximas ao Japão. Tóquio não deve responder a uma perda do guarda-chuva de segurança dos EUA por meio do desenvolvimento de um programa de armas nucleares, a não ser por conta de uma clara percepção de intenção agressiva da China em relação ao país.

- Um quarto cenário teria os EUA e a China se movendo significativamente rumo à cooperação política e de segurança na região, levando os EUA a se acomodarem à presença militar chinesa na região e a um alinhamento correspondente, ou então uma diminuição das forças americanas na área. Nesse caso, Tóquio quase certamente seguiria a tendência prevalecente e se aproximaria de Pequim para ser incluído nos arranjos regionais políticos e de segurança. De forma semelhante, outros países da região, inclusive a Coréia do Sul. Taiwan e os membros da Associação das Nações do Sudeste da Ásia, ASEAN, conforme sigla em inglês, tenderiam a seguir a liderança dos EUA, fazendo ainda mais pressão sobre Tóquio para alinhar suas políticas àquelas dos outros atores da região.

Brasil: Fundações Sólidas para um Forte Papel de Liderança. Por volta de 2025, o Brasil irá provavelmente exercer maior liderança regional, primeiro entre seus pares na América do Sul. No entanto, a não ser pelo seu papel cada vez maior como produtor de energia e sua posição nos debates comerciais, o país irá demonstrar habilidade limitada de se projetar para além do continente como um dos principais jogadores mundiais. Seu progresso em consolidar a democracia e em diversificar sua economia servirá como um modelo regional positivo.

Com processos eleitorais justos e abertos e com transições sem quaisquer tensões, o comprometimento maduro do país com a democracia está assegurado. O atual presidente, Lula da Silva, tem uma forte orientação socialista e tem praticado políticas domésticas e externas moderadas, estabelecendo um precedente positivo para seus sucessores. A percepção dos brasileiros sobre a importância de exercerem um papel-chave tanto regional como de líder mundial impregnou a consciência nacional e transcende os partidos políticos.

Economicamente, o Brasil estabeleceu uma fundação sólida para o crescimento contínuo baseado na estabilidade política e em um processo incremental de reforma. O crescente consenso sobre políticas fiscais e monetárias responsáveis deve diminuir os perigos das crises que assolaram o país no passado. Em decorrência do atual consenso econômico do Brasil, nem uma virada radical a um modelo econômico de livre mercado e livre comércio ou uma orientação pesadamente estatal devem acontecer até 2025.

As recentes descobertas preliminares de novos – e possivelmente grandes – reservas de petróleo na costa têm o potencial de acrescentar outra dinâmica a uma economia já diversificada e coloca o Brasil em um caminho de crescimento econômico ainda mais rápido. As descobertas de petróleo na Bacia de Santos – com potencial de conter uma reserva de dezenas de bilhões de barris – podem tornar o Brasil, depois de 2020, um grande exportador de petróleo, quando esses campos petrolíferos estiverem sendo totalmente explorados. Cenários otimistas, os quais ostentam uma estrutura legal e regulatória atraente ao capital estrangeiro, projetam a produção petrolífera em 15% do PIB por volta de 2025. Mesmo assim, o petróleo apenas complementaria outras fontes existentes de riqueza nacional.

"As descobertas de petróleo na Bacia de Santos – com potencial de conter uma reserva de dezenas de bilhões de barris – podem tornar o Brasil, depois de 2020, um grande exportador de petróleo..."

O progresso em temas sociais, como a redução do crime e da pobreza, tende a exercer um papel decisivo na determinação do status futuro da liderança do Brasil. Sem avanços na execução da lei, até mesmo o rápido crescimento econômico será interrompido pela instabilidade resultante do crime e da corrupção persistentes. Também serão necessários mecanismos para incorporar uma parte cada vez maior da população na economia formal para reforçar o status do Brasil como moderna potência mundial.

Potências emergentes

Devido a grandes populações e a extensas terras das novas potências como a Índia e a China, outra constelação de potências não deve surgir na cena mundial nas próximas uma ou duas décadas. Não obstante, potências emergentes e em desenvolvimento podem responder por uma grande proporção do crescimento econômico mundial até 2025. Outras também irão representar um papel dinâmico nas suas vizinhanças.

Indonésia, Turquia e um **Irã** não mais governado pelo clero - países que são predominantemente islâmicos, mas que estão fora do núcleo árabe[29] parecem estar bem situados para exercerem maior influência internacional. Um clima de política macro-econômica amigável permitiria a fluidez do sistema econômico. No caso do Irã, reformas políticas radicais seriam necessárias.

A performance da **Indonésia** dependerá de o país ter sucesso nas reformas políticas com medidas que estimulem a economia. Na última década, os indonésios transformaram seu autoritário país em uma democracia, transformando o vasto arquipélago em um lugar de relativa calma onde o apoio às soluções políticas moderadas é forte, onde os movimentos separatistas estão desaparecendo, e os terroristas, sem encontrar apoio público, são rastreados e presos. Com recursos naturais abundantes e uma grande população de consumidores em potencial (é o quarto país mais populoso do mundo), a Indonésia pode crescer economicamente se seus líderes eleitos tomarem ações para melhorar o clima de investimento, fortalecer o sistema legal, melhorar a estrutura regulatória, reformar o setor financeiro, reduzir os subsídios a combustíveis e alimentos e reduzir o custo da realização de negócios.

Observa-se no **Irã** - um país rico em gás natural e outros recursos e proeminente em termos de capital humano - que uma reforma política e econômica, além de um clima para investimentos estável, poderia mudar a maneira como o mundo percebe o país e também a forma como os iranianos vêem a si

29. Vale lembrar que a etnia do Irã é persa e não árabe. Essa divisão étnica exacerba a rivalidade entre o Irã e seus vizinhos árabes - N. do T.

mesmo. Sob essas circunstâncias, a revitalização econômica poderia ter lugar rapidamente no Irã e fomentar sua classe média cosmopolita, educada e, por vezes, secular. Se obtivesse o poder, essa parcela da população poderia ampliar os horizontes do país, particularmente em direção ao Oriente, para longe das décadas em que o país foi envolvido pelos conflitos árabes do Oriente Médio.

O registro recente de crescimento econômico da **Turquia**, a vitalidade da classe média emergente do país e sua localização geoestratégica aumentam a perspectiva de um papel regional para a Turquia cada vez mais influente no Oriente Médio. A fraqueza econômica, como a forte dependência de fontes externas de energia, pode ajudar a fomentar um papel internacional maior, conforme as autoridades turcas buscarem desenvolver laços com fornecedores de energia – inclusive seus vizinhos próximos, a Rússia e o Irã – e incrementar sua posição como um centro de trânsito[30]. Nos próximos 15 anos, o curso mais provável da Turquia inclui uma fusão das correntes islâmicas e nacionalistas, a qual pode servir de modelo para outros países do Oriente Médio que estão se modernizando rapidamente.

Cenário Global I: *Um Mundo Sem o Ocidente*

Neste relato fictício, as novas potências suplantam os líderes ocidentais no palco mundial. Essa situação não é inevitável nem é a única possível resultante da ascensão de novas potências. Historicamente, a ascensão de novas potências – como o Japão e a Alemanha no final do século XIX e início do XX – apresenta sérios desafios ao sistema internacional existente, os quais acabaram em conflitos mundiais. A possibilidade de que as potências emergentes assumam mais espaço nas áreas que afetam seus interesses diretos é, a nosso ver, mais plausível do que um desafio direto ao sistema internacional, particularmente

30. Beneficiando-se assim de sua privilegiada posição geográfica ao, por exemplo, construir, proteger e alugar oleodutos e gasodutos que facilitam a distribuição de seus vizinhos produtores no Mar Cáspio e do Oriente Médio a seus clientes europeus – N. do T.

em vista daquilo que pode ser um cansaço dos países ocidentais de carregar o fardo da manutenção da ordem internacional.

Tal coalizão de forças pode vir a ser uma concorrente a instituições como a OTAN, oferecendo a outros países uma outra alternativa à ocidental. Conforme foi detalhado, não vemos essas coalizões alternativas como arranjos necessariamente permanentes do novo cenário. Na verdade, devido aos seus diversos interesses e concorrência por recursos, as novas potências podem facilmente se distanciarem umas das outras da mesma forma como podem se aproximar. Embora as potências emergentes tendam cada vez mais a se preocupar com assuntos domésticos e com a sustentação de seu desenvolvimento econômico, conforme resumido neste capítulo, elas terão capacidade de serem jogadores globais.

As pré-condições para este cenário incluem:

- A queda no crescimento econômico do Ocidente pode levar os EUA e a Europa a tomarem medidas protecionistas contra os países emergentes de rápido crescimento econômico.
- Modelos diferentes de relacionamento Estado-sociedade ajudam a sustentar a poderosa (porém frágil) coalizão sino-russa.
- As tensões entre os principais atores no mundo multipolar se intensificam conforme os países buscam garantir sua segurança energética e fortalecer sua esfera de influência. A Organização de Cooperação de Xangai (OCX), principalmente, busca desenvolver clientes confiáveis e dependentes em regiões estratégicas – e a Ásia Central está nos quintais tanto da China como da Rússia.

上海合作组织
The Shanghai Cooperation Organisation
Шанхайскаяорганизациясотрудничества

Carta do Chefe da Organização de Cooperação de Xangai ao secretário geral da OTAN

15 de junho de 2015

Amanhã nos encontraremos para dar início ao nosso diálogo estratégico, mas eu gostaria de compartilhar com o senhor minhas opiniões sobre a OCX e os progressos que fizemos. Entre quinze e vinte anos atrás, eu jamais imaginaria a OCX tornar-se igual à OTAN – se não uma organização internacional ainda maior. Cá entre nós, não estávamos destinados à "grandeza", salvo se o Ocidente perdesse influência.

Posso dizer que isso começou quando os senhores se retiraram do Afeganistão sem cumprir sua missão de pacificar o Talibã*. Sei que os senhores tinham poucas escolhas. Os anos de crescimento lento ou inexistente nos EUA e no Ocidente tiveram impacto sobre os orçamentos de defesa. Os americanos sentiram suas forças se esgotarem e os europeus não ficariam (no Afeganistão) sem uma forte presença dos EUA. A situação do Afeganistão ameaçava desestabilizar toda a região, e nós não podíamos ficar de braços cruzados. Além do Afeganistão, nossa inteligência descobriu a perturbadora evidência de que alguns governos "amigos" da Ásia Central estavam cada vez mais sob pressão de movimentos islâmicos radicais e nós continuamos a depender da energia proveniente da Ásia Central. Os chineses e indianos estavam muito relutantes de se unir à minha pátria – Rússia –, mas não tinham melhor escolha. Nenhum de nós queria que o outro assumisse a liderança: nutríamos tantas suspeitas entre nós na época, as mesmas, para ser franco, que continuamos a nutrir hoje.

A assim chamada "manutenção da paz" da OCX colocou, de fato, a organização no mapa e nos fez decolar. Antes disso, ela era uma organização onde "cooperação" era um nome inapropriado. Teria sido mais apropriado chamá-la de "Organização de Desconfiança Mútua de Xangai". A China não queria ofender os EUA, então ela não embarcou nos esforços antiamericanos dos russos. A Índia estava lá para ficar de olho tanto na China como na Rússia. Os centro-asiáticos acharam que podiam usar a OCX para seus propósitos de jogar as grandes potências vizinhas umas contra as outras. E o Irã de Ahmedi-Nejad** se uniria a qualquer movimento antiamericano.

* Esta observação pode ser tendenciosa, aqui realçada pelo Conselho Nacional de Segurança/CIA como forma de influenciar os fazedores de política americanos nesta questão controversa que é a retirada das tropas americanas do Afeganistão e do Iraque – N. do T.

** Sexto e atual presidente do Irã. Empossado em 3 de agosto de 2005, Nejad tem se debicado constantemente com Washington por conta, principalmente, do programa nuclear do Irã – N. do T.

continua...

Mesmo com essas operações, a OCX não teria se tornado um "bloco" não fosse pelo crescente antagonismo demonstrado pelos EUA e a Europa em relação à China. Os fortes laços entre a China e os EUA mal garantiram legitimidade a Pequim. A China também se beneficiava da forte presença americana na região. Os vizinhos asiáticos de Pequim teriam ficado muito mais preocupados com a ascensão da China, se não tivessem a compensação de equilíbrio provida pelos EUA. A China e a Índia estavam contentes com o *status quo* e não queriam formar uma aliança forte conosco – os russos – por temer antagonizar os EUA. Enquanto o *status quo* fosse mantido, as perspectivas da OCX enquanto "bloco" eram limitadas.

Então surgiram os crescentes movimentos protecionistas nos EUA e na Europa, liderados por uma coalizão de forças que abrangia todo o espectro político, da esquerda à direita. Os investimentos chineses passaram a sofrer grande escrutínio e eram cada vez mais recusados. O fato de a China e a Índia terem sido as primeiras a adotar diversas novas tecnologias – internet da próxima geração, de água potável, de armazenamento de energia, de biogerontecnologia***, carvão limpo e biocombustíveis – apenas aumentou a frustração econômica. Barreiras comerciais protecionistas foram erguidas. Alguém de fora do "Ocidente" tinha de pagar o preço pela recessão que lá se arrastava, mas não se manifestava tanto em outros lugares. A modernização militar da China foi vista como ameaça e houve muitos comentários no Ocidente sobre o apoio "sujo" à proteção garantida pelos EUA às vias marítimas. Não é preciso dizer que o antagonismo ocidental acendeu um movimento nacionalista na China.

É interessante notar que nós russos observamos isso do canto sem saber ao certo o que fazer. Estávamos gostando de ver nossos bons amigos ocidentais levando uma verdadeira surra no campo econômico. Não foi nem de perto semelhante ao que passamos na década de 1990 e, claro, fomos atingidos na medida em que os preços da energia caíram com a recessão no Ocidente. Mas felizmente já tínhamos acumulado muitas reservas.

No final, os eventos foram uma benção porque forçaram a Rússia e a China a caírem uma nos braços da outra. Antes, a Rússia temia a ascensão chinesa mais do que os EUA. Sim, falávamos a sério sobre destinar toda a nossa reserva de energia ao Oriente para assustar os europeus de vez em quando. Mas também jogamos a China contra o Japão, buscando criar possibilidades que não aconteceram. Nossa maior preocupação era a China. Temores sobre uma possível invasão chinesa à porção oriental russa faziam parte dessa preocupação, mas creio que a maior ameaça do nosso ponto de vista era uma China mais poderosa – por exemplo, uma China que não se mantivesse escondida debaixo das

*** Ciência que estuda a bases celular e molecular das doenças e do envelhecimento aplicada ao desenvolvimento de novas tecnologias para identificar e tratar de doenças e males associados ao envelhecimento – N. do T.

saias da Rússia na ONU. A divisão sino-soviética também espreitava. Eu pessoalmente me irritava com a incessante conversa chinesa sobre não repetir os erros dos soviéticos. Aquilo doía. Não que os chineses estivessem desprovidos de razão, mas admitir que fracassamos onde eles estavam tendo sucesso feria o orgulho russo. Mas agora tudo isso ficou para trás. Ter a tecnologia que permite o uso limpo de combustíveis fósseis foi uma benção. Se o Ocidente nos passou essa tecnologia ou se, como somos acusado, fomos nós que a roubamos, é irrelevante. Vimos a chance de cimentar um forte laço - oferecendo à China oportunidades de ter uma fonte de energia segura com menor dependência do suprimento do Oriente Médio. Eles responderam reciprocamente com contratos de longo prazo. Também aprendemos como cooperar na Ásia Central, em vez de nos prejudicarmos uns aos outros através das nossas ações com vários regimes. Vendo o surgimento de uma forte parceria sino-russa, os outros - Índia, Irã, etc. - não queriam ser deixados de fora e se acercaram de nós. É claro que o fato de o protecionismo dos EUA e da Europa terem fomentado a aproximação da Índia à China ajudou.

O quão estável é o nosso relacionamento? Não me cite, mas esta não é uma nova Guerra Fria. Claro, falamos muito sobre capitalismo de Estado e autoritarismo, mas não se trata de uma ideologia como o comunismo. E é de nosso interesse mútuo que a democracia não se dissemine na Ásia Central uma vez que a China e a Rússia seriam influenciadas por tal evento. Não posso dizer que nós russos e chineses gostamos mais uns dos outros do que antes. De fato, ambos temos de evitar colocar nossos respectivos nacionalismos na frente dos interesses mútuos. Vamos colocar assim, os chineses e russos não estão apaixonados uns pelos outros. Os russos querem ser respeitados como europeus, não como eurasiáticos, e a elite chinesa ainda é influenciada pelo Ocidente. Mas os expedientes temporários acabam, muitas vezes, se tornando permanentes, não é verdade?

CAPÍTULO 4

ESCASSEZ EM MEIO À ABUNDÂNCIA?

O sistema internacional será desafiado por uma crescente contração de recursos ao mesmo tempo em que estará lidando com o impacto causado pelos novos jogadores. O acesso a fontes de energia relativamente seguras e limpas e o gerenciamento da escassez crônica de alimentos e de água assumirá importância cada vez maior para um grande número de países durante os próximos 15-20 anos. O acréscimo de mais de um bilhão de pessoas na população mundial por volta de 2025 por si só já irá aumentar a pressão sobre os recursos vitais. Uma parcela cada vez maior da população mundial se mudará das áreas rurais para as zonas urbanas e desenvolvidas em busca de segurança e oportunidade econômica. Muitos – particularmente na Ásia – passarão a fazer parte da classe média e buscarão imitar o estilo de vida ocidental, o que envolve maior consumo per capita de todos esses recursos. Diferentemente dos períodos anteriores quando a escassez de recursos se agigantava, o crescimento significativo da demanda dos mercados emergentes, combinados com restrições de novas produções – como os controles atualmente exercidos pelas empresas estatais no mercado global de energia – limita a tendência de as forças mercadológicas retificarem por si só o desequilíbrio entre oferta e demanda.

O já pressionado setor de energia se complicará ainda mais e, na maioria dos casos, é exacerbado pela mudança climática, cujos efeitos físicos irão piorar ainda mais nesse período. O aumento continuado da demanda por energia acelerará os impactos do aquecimento global. Por outro lado, o forçoso corte do uso de combustíveis fósseis antes de os substitutos estarem amplamente

O "Tremendo Apuro": Exportações de Petróleo do Oriente Médio

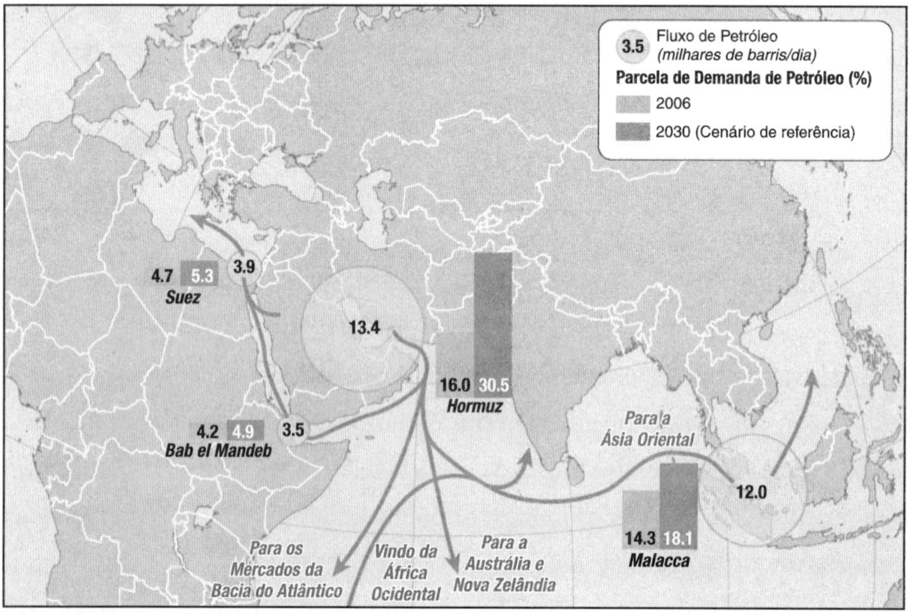

Fonte: World Energy Outlook, produzido pela International Energy Agency

disponíveis pode ameaçar o desenvolvimento econômico continuado, particularmente para países como a China, cujas indústrias ainda não atingirão altos níveis de eficiência energética. Avanços tecnológicos e decisões políticas apropriadas em todo o mundo em relação à emissão de gases de efeito estufa nos próximos 15 anos devem determinar se a temperatura global irá aumentar mais de dois graus centigrados – o limite no qual acredita-se que os efeitos não sejam mais reversíveis.

Alimentos e água também estão misturados à mudança climática, energia e demografia. A escalada dos preços de energia aumenta o custo para os consumidores e o ambiente da agricultura em escala industrial e o uso de fertilizantes petroquímicos. Uma mudança do uso de terra arável para culturas destinadas à produção de biocombustíveis oferece uma solução limitada e pode piorar a situação tanto da energia como dos alimentos. Em termos de clima, anomalias nas precipitações pluviométricas e menos queda de neve, bem como o derretimento das geleiras estão agravando a escassez de água e prejudicando a agricultura em muitas partes do mundo. As dinâmicas energética e climática também se combinam para agravar outros males, como problemas de saúde, perdas agrícolas causadas por pragas e prejuízos ocasionados por tempestades. O maior perigo pode vir da convergência e da interação simultânea de muitas dessas tensões. Tal síndrome de problemas complexos e sem precedentes podem sobrecarregar os responsáveis pela tomada de decisões, tornando difícil para eles tomarem ações pontuais a fim de garantir resultados positivos e evitar os negativos.

O amanhecer da Era Pós-Petróleo?

Por volta de 2025, o mundo estará em meio a uma transição de energia fundamental – tanto em termos de tipos de combustível como de fontes produtoras. A produção de hidrocarbonetos líquidos por países que não são membros da OPEP (por exemplo, líquidos derivados de gás natural, petróleo cru e não convencionais, como areias de piche) não serão capazes de responder à demanda. Os níveis de produção de muitos produtores tradicionais de energia – Iêmen, Noruega, Omã, Colômbia, Reino Unido, Indonésia, Argentina, Síria, Egito, Peru, Tunísia – já estão declinando. O nível de produção de outros – México, Brunei, Malásia, China, Índia, Qatar – achataram. O número de países capazes de expandir significativamente a produção irá diminuir. As projeções indicam que apenas seis países – Arábia Saudita, Irã, Kuait, os Emirados Árabes Unidos, Iraque (em potencial) e a Rússia – responderão por 39% da produção mundial de petróleo em 2025. Os maiores produtores estarão localizados no Oriente Médio, onde estão localizados cerca de dois terços das reservas mundiais. A produção da OPEP em países do Golfo Pérsico deve crescer cerca de 43% entre 2003-2025. A Arábia Saudita irá responder por quase metade de toda a produção do Golfo, uma quantidade maior do que a esperada pela África e a região do Cáspio combinadas.

Uma conseqüência parcial dessa crescente concentração tem sido o maior controle dos recursos de gás e petróleo por empresas petrolíferas nacionais.

Quando o Clube de Roma[31] fez sua famosa projeção sobre o aumento da escassez de energia, as "Sete Irmãs" ainda tinham grande influência sobre os mercados globais de petróleo e sua produção[32]. Orientadas pelos acionistas, elas respondiam a sinais de preços para explorar, investir e promover tecnologias necessárias para aumentar a produção. Em contraste, as empresas petrolíferas nacionais têm fortes incentivos econômicos e políticos para limitar o investimento a fim de prolongar o horizonte de produção. Manter o petróleo no solo fornece recursos para as gerações futuras nos países petrolíferos que limitaram suas opções econômicas.

O número e a distribuição geográfica de produtores de petróleo irão diminuir concomitantemente com outra transição energética: a migração para o uso de combustíveis limpos. O combustível mais valorizado no curto prazo será o gás natural. Por volta de 2025, o consumo de gás natural deve crescer cerca de 60%, de acordo com projeções do Departamento de Energia dos EUA e da Agência de Informação de Energia. Embora os depósitos de gás natural não sejam necessariamente localizados junto aos de petróleo, eles são altamente concentrados. Três países – Rússia, Irã e Qatar – detêm mais de 57% das reservas mundiais de gás natural. Considerando petróleo e gás natural juntos, dois países – Rússia e Irã – emergem como os principais. Contudo, a América do Norte (EUA, Canadá e México) deve produzir uma proporção considerável – 18% – da produção mundial total por volta de 2025.

> *"Populações que envelhecem; cada vez mais restrições de energia, alimentos e água; e preocupações com a mudança climática devem colorir o que continuará a ser uma era de prosperidade sem precedentes na História."*

31. Fundado em 1968 pelo industrial e acadêmico italiano Aurélio Peccei e pelo cientista escocês Alexander King, o Clube de Roma reúne uma série de figuras proeminentes de diversas áreas para deliber sobre assuntos prementes. Seu relatório *Os Limites do Crescimento*, publicado em 1972, é ainda hoje o livro sobre maio-ambiente mais vendido – N. do T.
32. As "Sete Irmãs" são sete empresas petrolíferas ocidentais que dominaram a produção de petróleo, refinamento e distribuição em meados do século XX. Com a formação e o estabelecimento da OPEP nas décadas de 1960 e de 1970, a influência e o prestígio das empresas petrolíferas ocidentais declinou.

Mesmo apesar de o uso do gás natural tender a crescer firmemente em termos absolutos, o carvão pode ser a fonte de energia cujo uso cresce mais rapidamente, apesar de ser a "mais suja". Preços elevados de petróleo e de gás natural podem valorizar fontes de energia baratas, abundantes e próximas dos mercados. Três dos maiores consumidores de energia, que também são os que crescem mais rapidamente - EUA, China e Índia -, e a Rússia possuem as quatro maiores reservas de carvão do mundo, as quais representam 67% do total global conhecido. Uma produção incrementada de carvão poderia estender o uso da energia não renovável baseada em sistemas de carbono por um ou até mesmo dois séculos. A China ainda seria muito dependente de carvão

Colapso das Fontes de Energia

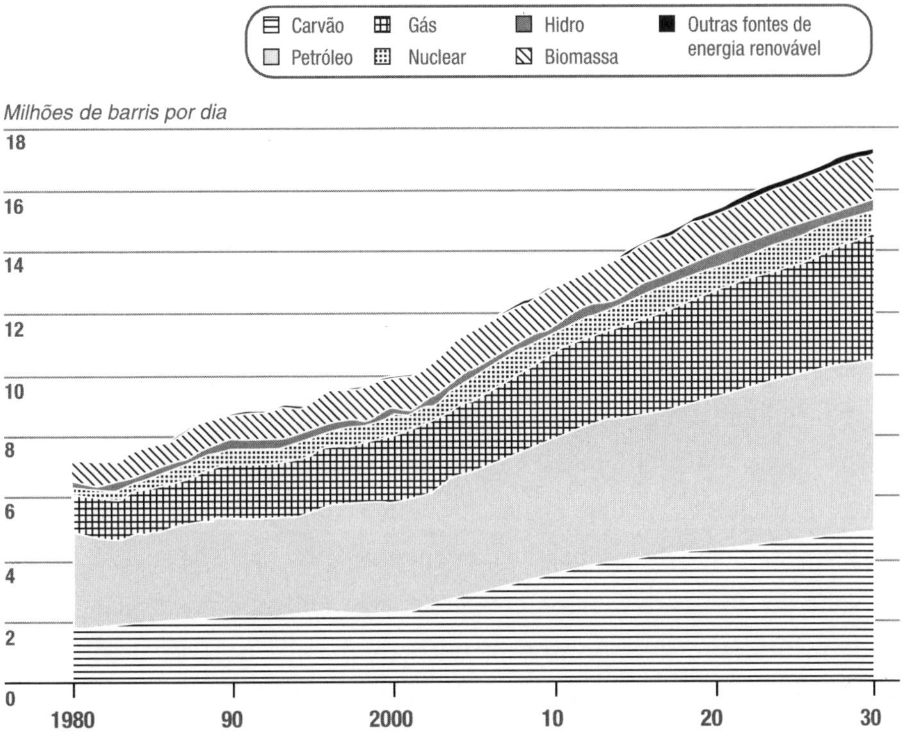

Observação: a demanda mundial crescerá em mais de 50% durante o próximo quarto de século com o uso do carvão aumentando em termos absolutos.
Fonte: PFC Energy International

em 2025, e Pequim deverá estar sofrendo forte pressão internacional para usar tecnologia limpa na sua queima. A China está superando os EUA em termos de emissão de carbono, apesar do seu PIB bem menor.

O uso de combustível nuclear para geração de energia elétrica deverá se expandir, mas o aumento não será suficiente para responder ao crescimento da demanda de eletricidade. Reatores nucleares de terceira geração têm custo menor de geração de energia, características de segurança melhoradas e melhor possibilidade de gerenciamento do lixo atômico do que os projetos anteriores de reatores. Reatores nucleares de terceira geração são economicamente competitivos em relação aos atuais preços de eletricidade e estão começando a ser usados no mundo todo. Apesar de a maior parte das usinas nucleares estarem hoje localizadas em países industrializados, a crescente demanda por eletricidade na China, Índia, África do Sul e outros países de crescimento rápido aumentará a demanda por energia nuclear.

As reservas de urânio, a principal fonte de geração de energia nuclear, não deve limitar o emprego futuro da energia nuclear. O urânio disponível tende a ser suficiente para suprir a expansão do uso da energia nuclear sem reprocessar até a segunda metade do século. Se não houver disponibilidade de urânio, os reatores capazes de produzir combustíveis nucleares, juntamente com a reciclagem de combustíveis usados, podem continuar a suprir a expansão global de energia nuclear.

No entanto, por conta das suas necessidades de infra-estrutura, há preocupação quanto a proliferação e o conhecimento específico e material dos processos nucleares, e sabe-se que, com a incerteza quanto ao licenciamento e ao processamento de combustível, a expansão da geração de energia nuclear por volta de 2025 para cobrir a crescente demanda em todos os lugares será virtualmente impossível. A infra-estrutura (humana e física) legal e dificuldades de construção são simplesmente grandes demais. Apenas no final de um período de 15-20 anos devemos testemunhar um aumento significativo das tecnologias nucleares.

O momento certo é tudo

Todas as atuais tecnologias são inadequadas para substituir as arquiteturas energéticas tradicionais na escala necessária, e as novas tecnologias de energia provavelmente ainda não serão comercialmente viáveis nem difundidas até 2025. A atual geração de biocombustíveis é muito cara para crescer, aumentaria os preços dos alimentos e sua fabricação consome essencialmente a mesma quantidade de energia que esses biocombustíveis produzem. Outras formas de converter biomassa não alimentar em combustíveis e produtos químicos devem ser mais promissoras, como aquelas baseadas em algas de crescimento rápido ou refugos agrícolas, especialmente biomassa de celulose. O desenvolvimento de tecnologias de carvão limpo e de captura e armazenamento de carbono está se destacando e – se essas tecnologias forem competitivas em termos de preço em 2025 – permitirão a geração de eletricidade por carvão em um ambiente de regulamentação das emissões de carbono. Células de combustível de hidrogênio de longa duração têm potencial, mas estão em sua infância e pelo menos uma década distante da produção em escala comercial. Investimentos enormes em infra-estrutura seriam necessários para sustentar uma "economia de hidrogênio". Um estudo do Laboratório Nacional Argonne descobriu que o hidrogênio, do poço ao tanque do veículo, tende a ser pelo menos duas vezes mais caro do que a gasolina.

Mesmo com uma política favorável e os fundos necessários para o uso de biocombustíveis, carvão limpo ou hidrogênio, historicamente as grandes tecnologias têm um "tempo de adoção". Um estudo recente demonstrou que no setor de energia, o tempo para essa tecnologia ser amplamente adotada a partir da sua introdução é de cerca de 25 anos. Um motivo importante a determinar esse longo período é a necessidade de uma nova infra-estrutura para responder à inovação. No caso da energia, em particular, os investimentos maciços e contínuos feitos durante quase 150 anos englobam produção, transporte, refinamento, comércio e atividades de revenda. A adoção do gás natural, um combustível superior ao petróleo em muitos aspectos, ilustra a difícil transição para algo novo. As tecnologias para o uso do gás natural estão disponíveis desde pelo menos a década de 1970, no entanto o gás natural ainda está atrás do petróleo cru no mercado global porque os investimentos e exigências técnicas para produzi-lo e transportá-lo são maiores do que são para os combustíveis fósseis.

Estima-se que para simplesmente responder à demanda básica de energia nas próximas duas décadas são necessários investimentos da ordem de três trilhões de dólares nos hidrocarbonetos tradicionais por empresas construídas há mais de um século e com capitalizações de mercado de centenas de bilhões de dólares. Como uma nova forma de energia não deve usar a infra-estrutura existente sem as modificações, entendemos que qualquer forma de energia exigirá investimentos igualmente pesados.

continua...

Apesar de nos parecer difícil, não podemos deixar de considerar a possibilidade de uma transição até 2025 que evitaria o custo de uma reforma de infra-estrutura. A maior possibilidade de uma transição relativamente rápida durante esse período vem de fontes renováveis de geração de energia (fotovoltaica e eólica) e avanços na tecnologia de baterias. Com muitas dessas tecnologias, o custo de infra-estrutura dos projetos individuais seria menor, permitindo a diversos pequenos atores desenvolver seus próprios projetos de transformação de energia que melhor sirvam a seu interesse – como projetos de geração de hidrogênio para células de combustível para automóveis a partir da recarga de eletricidade feita na garagem do proprietário – poderiam evitar a necessidade de se estabelecer uma complexa infra-estrutura de transporte de hidrogênio. De maneira semelhante, biocombustíveis que não o etanol, derivados de vegetais geneticamente modificados, podem ser capazes de diminuir o investimento considerável para reformar a infra-estrutura de transporte e de distribuição de petróleo líquido.

A geopolítica da energia

Tanto os preços de energia altos quanto os baixos teriam grandes implicações geopolíticas e, durante os próximos 20 anos, períodos de uma ou outra dessas tendências poderão ocorrer. A Administração de Informação de Energia do Departamento de Energia dos EUA e diversos dos principais consultores da área de energia acreditam que os níveis de preços altos serão prováveis, pelo menos até 2015, pois a oferta está achatada e a demanda aumentando. Não é um cenário semelhante ao dos anos 1970 e início da década de 1980 quando os altos preços do petróleo eram causados por uma restrição intencional da oferta. Mesmo com o aumento geral nos custos de energia, preços bem abaixo de 100 dólares o barril são esperados periodicamente com o esperado aumento da volatilidade e a necessidade de alternativas resultantes de desenvolvimentos tecnológicos e rápida comercialização de um combustível substituto. Cenários possíveis para uma mudança negativa e uma mudança na psicologia do mercado incluem uma desaceleração do crescimento global; maior produção no Iraque, Angola, Ásia Central e em outros lugares; e maior eficiência energética com a tecnologia atualmente disponível.

"Com preços altos, os principais exportadores como a Rússia e o Irã terão os recursos financeiros para aumentar seu poder nacional..."

Até mesmo com preços abaixo de cem dólares o barril, as transferências financeiras ligadas ao comércio de energia produzem ganhadores e perdedores distintos. A maioria dos 32 países que importam 80% ou mais de sua necessidade energética deve enfrentar uma desaceleração do crescimento econômico maior do que teriam tido, se os preços do petróleo fossem menores. Alguns desses países já foram identificados por especialistas de risco-país – a República Centro-Africana, República Democrática do Congo, Nepal e Laos, por exemplo. Países caracterizados por grande dependência de importação, baixo PIB per capita, altos déficits de conta corrente e pesada dívida internacional têm um perfil perigoso. Tal perfil inclui a maior parte da África Oriental e a Península Somali (Chifre da África[33]). Países com problemas sérios, como o Paquistão, correm o risco de fracassar enquanto Estados.

Com os preços *mais altos*, os países estáveis se darão melhor, mas suas perspectivas de crescimento econômico cairiam um pouco e poderia haver turbulência política. Economias eficientes, orientadas ao setor de serviços da Organização para Cooperação e Desenvolvimento Econômico (OECD, conforme sigla em inglês) não estão imunes e certamente serão afetados. A China, embora até certo ponto blindada pelas suas enormes reservas financeiras, seria afetada por preços de petróleo mais altos, o que tornaria ainda mais difícil erguer milhões de pessoas acima da linha de pobreza. Para responder ao custo maior da energia importada, a China também teria de obter e transportar mais carvão de suas próprias reservas, construir mais usinas nucleares e buscar melhorar sua eficiência energética.

---

33. O Nordeste Africano, que compreende a Somália, a Etiópia, o Djibouti e a Eritreia, também é conhecido como Chifre da África ou península Somali. Essa região, com uma área de dois milhões de quilômetros quadrados e uma população de noventa milhões, é vigiada de perto pelos EUA, França e Alemanha – e mais de uma dezena de países africanos –, por conta do apoio dado às atividades terroristas por esses países – N. do T.

Vencedores e perdedores em um mundo pós-petróleo

Acreditamos que a ocorrência mais provável por volta de 2025 seja um avanço tecnológico que irá fornecer uma alternativa ao petróleo e ao gás natural, mas cuja implementação irá demorar por causa dos custos de infra-estrutura e a necessidade de um período maior para efetivar a substituição. No entanto, mesmo que tal avanço tecnológico aconteça até 2025 ou depois, as implicâncias geopolíticas de uma mudança para outras fontes de energia que não são nem o petróleo nem o gás natural serão imensas.

- A Arábia Saudita sofrerá o maior impacto, e seus líderes serão forçados a diminuir os custos da instituição monárquica. O regime poderá enfrentar novas tensões com a instituição Wahabi*, conforme Riad buscar promover uma série de grandes reformas econômicas – inclusive a participação total das mulheres na economia – e um novo contrato social com o público na medida em que buscar instituir uma nova ética de trabalho para acelerar os planos de desenvolvimento e diversificar a economia.
- No Irã, a queda nos preços de petróleo e gás minará qualquer política populista. Aumentarão as pressões por reformas econômicas, forçando a elite clerical governante a uma posição mais liberal. Aumentarão os incentivos para que o país se abra ao Ocidente em busca de maior investimento estrangeiro e de estabelecer ou fortalecer os laços com parceiros ocidentais – inclusive com os EUA. Os líderes iranianos deverão querer trocar sua política nuclear por comércio e ajuda internacional.

Para o Iraque, a saída é aumentar a ênfase de investimento em setores outros que o do petróleo. Os países menores do Golfo, que têm feito grandes investimentos para se transformarem em centros globais de turismo e transporte, devem gerenciar bem a transição, impulsionados pelos seus robustos Fundos de Riqueza Soberana (FRSs). Por todo o mundo árabe, os FRSs estão sendo empregados para desenvolver setores não petrolíferos da economia em uma corrida contra a diminuição do petróleo enquanto um recurso cada vez mais escasso.

Fora do Oriente Médio, a Rússia será o maior perdedor em potencial, particularmente se sua economia continuar fortemente ligada às exportações de energia e pode ter seu status reduzido ao de potência média. A Venezuela, a Bolívia e outros regimes petro-populistas podem desandar completamente, se isso já não tiver ocorrido antes por causa do já crescente descontentamento da população e a da produção decrescente. Sem o apoio da Venezuela, Cuba poderá ser forçada a iniciar reformas de mercado como as da China. Os países cujo petróleo está escasseando há mais tempo – aqueles exportadores que já atingiram seu pico ou já entraram em declínio, como a Indonésia e o México – podem estar melhor preparados para mudar o foco das suas atividades econômicas e diversificar para setores não energéticos.

* O wahabismo é uma forma conservadora de islamismo sunita criada e divulgada no século XVIII na região onde hoje é a Arábia Saudita – N. do T.

Com os preços altos, os grandes exportadores como a Rússia e o Irã teriam os recursos financeiros necessários para aumentar seu poder nacional. A extensão e as modalidades de possibilidades de aumentar seu poder e influência dependeriam de como eles usarem seus lucros para investir em capital humano, estabilização financeira e infra-estrutura econômica. Na Rússia, a aplicação judiciosa da receita aumentada pelos preços favoráveis na economia, área social e instrumentos de política exterior mais do que dobraria a influência russa, conforme medição de um índice elaborado por uma potência acadêmica nacional.

Uma queda continuada nos preços do petróleo teria implicações significativas para os países que dependem de receita gerada pelo petróleo para equilibrar o orçamento ou para o investimento doméstico. Para o Irã, uma queda nos preços de petróleo para a faixa de 55-60 dólares o barril ou abaixo pressionaria o regime no sentido de adotar medidas drásticas com relação à subsidiar programas econômicos populistas e manter os fundos destinados às operações de inteligência e de segurança, bem como outros programas destinados a aumentar seu poder regional. A noção de que as economias dominadas pelo Estado, aparentemente capazes de garantir o desenvolvimento econômico sem liberdades políticas ou sem um mercado completamente livre, seja uma alternativa viável às idéias ocidentais de mercados livres e de democracia liberal pode ser mal percebida, particularmente porque a História sugere que os EUA e outros países ocidentais se adaptam mais rapidamente às mudanças inesperadas nos mercados de energia.

Sob qualquer cenário, as dinâmicas energéticas podem produzir diversos novos alinhamentos ou grupos com impacto geopolítico:

- A Rússia, precisando da área de gás natural do Cáspio para satisfazer os contratos europeus e outros, deve ser forçada a manter os países da Ásia Central dentro da esfera de influência de Moscou, cujas chances de sucesso são boas, a não ser que haja escoadouros que não sejam controlados pela Rússia.
- A China continuará a buscar apoio para seu poderio mercadológico por meio de relações políticas com países produtores que salvaguardem seu

Avanços tecnológicos* por volta de 2025

☐ Provável ☐ Possível ■ Plausível

Qual é a tecnologia?	**Informática ubíqua** será possibilitada pela ampla conexão e trabalho em rede de objetos (a Internet of Things, ou Internet das Coisas), como embalagens para alimentos, móveis, sensores de espaços e documentos de papel. Tais itens serão localizados e identificados, monitorados e controlados remotamente através de tecnologias – como identificações por freqüência de rádio, redes de sensores, minúsculos servidores embutidos e ceifadores de energia – conectados via internet de última geração usando informática abundante, de baixo custo e de extrema eficiência.	**Tecnologias de água potável** compreendem diversas tecnologias que permitem o tratamento de água potável e de esgoto e a dessalinização mais rápida e de maior eficiência energética. A fim de fornecer fontes sustentáveis de água para uso doméstico, agrícola e industrial. As tecnologias incluem avanços nas atuais tecnologias como bioreatores de membrana e diversas substituições de materiais e avanços em outras tecnologias de separação e de purificação feitas a partir de propriedades físicas e químicas únicas das nanopartículas e nanofibras.	**Tecnologia de armazenamento de energia** abrange um largo espectro de materiais e técnicas para armazenamento de energia, uma necessidade para a viabilidade de diversas alternativas às fontes de combustível fóssil. Entre elas, materiais para baterias, ultracapacitadores e materiais que armazenam o hidrogênio (particularmente para células de combustível). O armazenamento eficiente de energia permitirá o uso da energia em demanda de diversas fontes e sistemas como os de hidrogênio, diversas fontes de energia renovável (porém intermitentes) como eólica e solar e veículos de transporte com baixa emissão.
Quais são os motivadores e barreiras?	**Principais motivadores:** demanda por maior eficiência em uma grande variedade de aplicações da segurança alimentar para cadeias de suprimento e logística mais eficientes. As corporações, governos e indivíduos irão se beneficiar em áreas como eficiência e segurança energética, qualidade de vida e aviso prévio de necessidade de manutenção de equipamentos. **Principais barreiras:** a implementação depende da disponibilidade de energia para pequenos dispositivos livres de manutenção, desenvolvimento de modelos de negócio lucrativos e abordagem das maiores preocupações sobre privacidade e segurança.	**Principais motivadores:** A água potável deverá ser o recurso natural mais escasso, porém mais necessário por conta de novas demandas resultantes do aumento da população e da expectativa da mudança climática, fatores que irão reduzir as fontes naturais de água potável em algumas áreas. A demanda de água para uso doméstico aumentará, bem como para o uso agrícola (inclusive novas culturas para biofarmacêuticos e biocombustíveis) e para processos industriais. **Principais barreiras:** a exigência de fornecimento sustentável de água potável só será satisfeita se os sistemas de pequena e grande escala puderem superar os problemas de custo – tanto em termos de exigência energética como de custos de infra-estrutura.	**Principais motivadores:** altos preços dos combustíveis de origem fóssil, desejo de reduzir a dependência de fontes estrangeiras de fornecimento de energia e pressão para aumentar o uso de fontes de energia renováveis estão estimulando o desenvolvimento dessas tecnologias. **Principais barreiras:** desenvolvimento e emprego de tecnologias restringem-se por conta da ciência material, os custos desconhecidos da manufatura em larga escala e do investimento necessário em infra-estrutura.
Por que a tecnologia irá virar o jogo?	Essas tecnologias podem acelerar radicalmente a gama de eficiência, levando à integração de sociedades fechadas com a era da informação e o monitoramento de segurança de quase todos os lugares. As cadeias de suprimento teriam economia em termos de custo e maior eficiência que reduziria a dependência do trabalho humano.	Apesar de a Terra conter muita água, apenas 1% serve para consumo humano, e 20% da população mundial não têm acesso à água potável. As regiões onde haverá escassez de água irão aumentar, conforme a população mundial aumentar e a mudança climática causar mais secas. Tanto países desenvolvidos como em desenvolvimento serão afetados. Várias indústrias irão cada vez mais competir por água, inclusive a agrícola, de alimentos, de processamento de bebidas, bem como as químicas, farmacêuticas e de semicondutores. Os primeiros países a desenvolver e empregarem tecnologias para conversão de água potável baratas e eficientes poderão obter enormes vantagens geopolíticas.	A capacidade de armazenar e usar energia sob demanda de uma combinação de fontes alternativas de energia oferece um potencial significativo para levar a uma mudança do paradigma energético dos combustíveis fósseis, resultando em vantagens econômicas e sociais significativas em termos globais àqueles que primeiro comercializarem essas tecnologias. Com o emprego generalizado, o resultado pode ser a desestabilização das economias que dependem da venda de combustíveis fósseis.

* Esses avanços foram categorizados com base no desenvolvimento e emprego iniciais da tecnologia. Em alguns casos, o desenvolvimento completo pode atrasar significativamente devido a exigências de infra-estrutura)

Fonte: SRI Consulting Business Intelligence e Toffler Associates

Avanços tecnológicos* por volta de 2025

☐ Provável ☐ Possível ■ Plausível

Qual é a tecnologia?	**"Biogerontecnologia"** é a ciência que estuda a base celular e molecular das doenças e do envelhecimento aplicada ao desenvolvimento de novas tecnologias para identificar e tratar de doenças e males associados ao envelhecimento. Entre as tecnologias usadas por esta ciência estão as melhorias em biosensores para o monitoramento em tempo real da saúde humana, uma robusta tecnologia de informação, seqüenciamento de DNA e remédios específicos para dado DNA amplamente disponíveis e mecanismos de orientação de remédios totalmente orientados para o paciente.	**As tecnologias de carvão limpo** incluem várias combinações de seqüestro e captura de carbono (SCC) para evitar que o $CO2$ – um produto colateral da incineração do carvão – entre na atmosfera, conversão de carvão em gás de síntese (gaseificação), e processos para converter gás de síntese* em hidrocarbonetos. O SCC podem reduzir ou eliminar completamente as emissões de gases de efeito estufa de uma usina elétrica a carvão. A gaseificação do carvão melhora a eficiência ao ser usado para gerar eletricidade e emite menos poluentes. O gás de síntese também pode ser uma alternativa para combustíveis destinados ao transporte e para a fabricação de produtos químicos industriais que substituam os produtos derivados de petróleo.	**As tecnologias para aumentar a força humana** envolvem sistemas mecânicos e eletrônicos que suplementam as capacidades físicas humanas. Elas incluem o uso de exoesqueletos com ativadores mecânicos nos quadris, cotovelos e outras juntas. O exoesqueleto pode parecer um robô humanóide de vestir que usa sensores, interfaces, sistemas de força e ativadores para monitorar e responder a movimentos de braços e pernas, conferindo ao usuário maior força e controle.
Quais são os motivadores e barreiras?	**Principais motivadores:** populações que estão ficando mais velhas, custos médicos cada vez mais altos e o desejo de manter ativos os trabalhadores mais velhos estimulam o desenvolvimento destas tecnologias. **Principais barreiras:** custos do desenvolvimento, testes em humanos executados durante um longo período de tempo, preocupações particulares, sociais e religiosas. Possíveis dificuldades com seguros inibirão este desenvolvimento.	**Principais motivadores:** O desejo de reduzir a dependência de fontes estrangeiras de fornecimento energia impulsiona o interesse de expandir o uso das reservas disponíveis de carvão, enquanto as pressões pela produção de energia limpa exigem o desenvolvimento de métodos de SCC. **Principais barreiras:** existem grandes barreiras em termos de custo e tecnologia para a implementação de mecanismos de SCC em usinas a carvão, ao mesmo tempo em que incertezas no mercado petrolífero e o cenário regulamentador do meio ambiente desestimulam o investimento em usinas de gaseificação de carbono de custo elevado (mesmo se SCC).	**Principais motivadores:** demanda por maior força, resistência e segurança física para assistência aos deficientes e idosos, bem como redução da dependência de trabalhos manuais impulsionam essas tecnologias. **Principais barreiras:** o custo da fabricação e a incerteza do retorno do investimento, desafios como fontes de energia portáteis e a capacidade humana de aceitar e usar a tecnologia constrange o desenvolvimento e o emprego dessas tecnologias.
Por que a tecnologia irá virar o jogo?	O emprego alteraria o custo, a locação e uso dos recursos de saúde. Os países enfrentarão desafios resultantes da mudança das estruturas demográficas e novas psicologias, comportamentos e padrões de atividade dos cidadãos idosos, porém saudáveis, e a necessidade concomitante de formular novas políticas nacionais econômicas e sociais.	O emprego bem-sucedido e rápido da tecnologia de carvão limpo poderia representar um grande desafio a outros mercados de hidrocarbonetos (predominantemente petróleo) e os novos mercados de energia renovável. Isso reduziria a dependência dos países ricos/pobres em carvão do petróleo/gás com uma significativa mudança resultante nos interesses nacionais.	Dispositivos biomecânicos prometem conferir força e resistência sobre-humana ou restaurar as capacidades de um deficiente físico. O amplo uso dessa tecnologia melhoraria muito a produtividade do trabalho reduzindo o número de humanos necessários para executar determinadas tarefas e permite que os idosos desempenhem atividades sem a necessidade de assistência. Tais tecnologias também melhorariam demais a eficiência de combate das forças de infantaria.

* Ou gasogêno, é uma mistura combustível de gases, produzida a partir de processos de combustão incompleta de combustíveis sólidos como madeira ou carvão. Essa tecnologia foi desenvolvida na década de 1920. Durante a Segunda Guerra Mundial, a Alemanha lançou mão de gasogênio como combustível de veículos por conta da dificuldade de importar petróleo – N. do T.

Fonte: SRI Consulting Business Intelligence e Toffler Associates

Avanços tecnológicos* por volta de 2025

☐ Provável ☐ Possível ■ Plausível

Qual é a tecnologia?	**A tecnologia de biocombustíveis** é usada para produzir etanol a partir de plantas como milho e cana-de-açúcar e biodiesel de semente de uva e soja. Os processos da próxima geração irão converter materiais lignino-celulosos em combustíveis. O cultivo de micro algas de crescimento rápido para conversão em biodiesel e outros biocombustíveis também tem potencial signif icativo.	**A robótica de serviço** compreende o uso de robôs e veículos robotizados que usam um grande número de tecnologias tanto de hardware (por exemplo, sensores, ativadores, sistemas de energia) e plataformas de software (sistemas avançados podem incorporar algoritmos comportamentais e inteligência artificial). Essas tecnologias permitiriam uma variedade de sistemas robóticos controlados remotamente, semi-autônomos (com intervenção humana) e completamente autônomos.	**As tecnologias de aumento da cognição humana** incluem drogas, implantes, ambientes virtuais de aprendizado e dispositivos de vestir para aumentar a capacidade de cognição humana. Softwares de treinamento irão explorar a neuroplasticidade para aumentar as habilidades naturais do indivíduo; e dispositivos que serão usados como peças de indumentária e implantes prometem melhorar a visão, audição e até mesmo a memória. Biotecnologia e tecnologias de informação prometem aumentar a *performance* mental humana em todas as fases da vida.
Quais são os motivadores e barreiras?	**Principais motivadores:** altos preços do petróleo cru, o desejo de reduzir a dependência de fontes estrangeiras e políticas governamentais para aumentar as fontes renováveis de energia impulsionam essas tecnologias. **Principais barreiras:** o desenvolvimento e emprego dessas tecnologias estão restritos pelo uso da terra, disponibilidade da água, concorrência das diferentes aplicações dos alimentos e os desafios para atingir a produção em larga escala. Os biocombustíveis atualmente em desenvolvimento são mais sustentáveis, mas os custos de produção ainda são muito altos.	**Principais motivadores:** aplicações de segurança, cuidado com a saúde ou com a casa para as populações mais velhas e o desejo de melhorar a produtividade manufatureira e reduzir a demanda por serviços manuais impulsionam essas tecnologias. **Principais barreiras:** desenvolvimento de modelos viáveis de negócios, custo, alcance tecnológico incerto (fontes de energia portátil e inteligência artificial) e problemas de integração (por exemplo, tecnologia de informação, padrões de robótica) inibem o emprego da robótica de serviços.	**Principais motivadores:** desejo de melhorar o planejamento militar, *performance* de combate, tratamento do Mal de Alzheimer, aumentar a eficiência educacional, o entretenimento pessoal e melhorar o desempenho profissional podem impulsionar o desenvolvimento dessas tecnologias. **Principais barreiras:** a relutância cultural de seguir um caminho "não natural" de desenvolvimento humano e o temor dos efeitos desconhecidos podem desacelerar o desenvolvimento e o emprego. Grandes desafios científicos e médicos precisam ser superados.
Por que a tecnologia irá virar o jogo?	Uma grande mudança para o uso de biocombustíveis eficientes poderia reduzir a demanda de petróleo e diminuir a competição internacional pelas reservas e suprimento de petróleo. Além disso, o amplo uso de biocombustíveis alteraria fundamentalmente a dependência de energia de combustíveis fósseis de alguns países, o que mudaria os interesses nacionais. As novas tecnologias de biocombustíveis que evitam grandes alterações no uso da terra – ao usar produtos de origem alimentar como refugo agrícola, gramas e biocombustíveis de algas podem reduzir significativamente as emissões líquidas de CO2.	Em termos domésticos, o amplo uso desta tecnologia poderia aumentar o poder humano, desestabilizar mercados de trabalho não especializados e os padrões de imigração e mudar a assistência social para uma população idosa cada vez maior. Os primeiros governos que adotarem esta tecnologia poderão fornecer mais segurança e projetar sua força de combate com menor índice de emprego humano e menores custos de sistemas de ciclo de vida.	O emprego desequilibrado dessas tecnologias poderia modificar rapidamente as vantagens econômicas e militares entre as nações. Os primeiros a adotarem em larga escala poderão ter benefícios significativos, ao mesmo tempo em que os países e sociedades que hesitarem em empregá-las podem ficar em desvantagem. A pressão internacional para regulamentar estas tecnologias pode ser desestabilizadora, pois enquanto algumas culturas podem adotar a mudanças para obter resultados rápidos, outras podem criticar seu caráter "não humano".

Fonte: SRI Consulting Business Intelligence e Toffler Associates

acesso ao petróleo e ao gás. Os laços entre Pequim e a Arábia Saudita se fortalecerão, uma vez que esse reino é o único fornecedor capaz de responder satisfatoriamente à sede chinesa de petróleo.

- Pequim vai querer contrabalançar sua crescente dependência de Riad por meio de fortalecer suas alianças com outros produtores. O Irã verá isso como uma oportunidade para solidificar o apoio da China a Teerã, o que provavelmente causaria tensão nos laços entre Pequim e Riad. Teerã pode também procurar fortalecer ainda mais seu relacionamento com a Rússia.
- Acreditamos que a Índia buscará garantir acesso à energia fazendo aberturas à Birmânia (Mianmar), Irã e Ásia Central. Os oleodutos para a Índia que passarão por regiões com grande potencial de conflito podem ligar Nova Déli às instabilidades desses lugares.

Água, alimentos e mudança climática

Os especialistas consideram que atualmente há 21 países, cuja população somada é de cerca de 600 milhões de pessoas, com escassez de terra agricultável ou água doce. Devido ao crescimento contínuo da população, projeta-se que 36 países, que somarão 1,4 bilhões de pessoas, estarão nessa categoria em 2025. Entre esses novos incluídos estarão Burundi, a Colômbia, Etiópia, Eritréia, Malawi, Paquistão e Síria. A falta de acesso a fontes estáveis de água já está alcançando proporções sem precedentes em muitas partes do mundo[34] e deve piorar ainda mais devido à rápida urbanização e crescimento populacional. A demanda por água para agricultura e geração de energia hidrelétrica também irá aumentar. Nos países em desenvolvimento, a agricultura consome hoje mais de 70% da água do mundo. A construção de usinas hidrelétricas em grandes rios pode melhorar o controle das cheias, mas também pode prejudicar usuários que esperam obter água rio abaixo.

34. Veja mapa na página 132.

"Os especialistas consideram que atualmente há 21 países, cuja população somada é de cerca de 600 milhões de pessoas, com escassez de terra agricultável ou água doce. Devido ao crescimento contínuo da população, projeta-se que 36 países, que somarão 1,4 bilhões de pessoas, estarão nessa categoria em 2025."

O Banco Mundial estima que a demanda de alimentos aumente 50% em 2030, por conta do crescimento populacional mundial, aumento da afluência e a adoção das preferências dietéticas ocidentais por uma classe média maior. O setor global de alimentos tem respondido rapidamente às forças de mercado, mas a produção agrícola provavelmente continuará a ser prejudicada por políticas agrícolas incorretas que limitam o investimento e distorcem os sinais

Dois países que ganham com o aquecimento global

A **Rússia** tem potencial para tirar muito proveito de um clima cada vez mais temperado. A Rússia tem enormes reservas inexploradas de petróleo e gás natural na Sibéria e também em alto-mar, no Ártico. As temperaturas mais quentes devem tornar essas reservas mais acessíveis. Isso resultaria em um enorme boom da economia russa, uma vez que hoje 80% das exportações do país e 32% da renda do governo vêm da produção de energia e de matérias-primas. Além disso, a abertura de uma via marítima no Oceano Ártico poderia garantir ainda mais vantagens econômicas e comerciais*. Não obstante, a Rússia pode ser afetada pela depreciação da infra-estrutura ocasionada pelo derretimento da tundra que irá exigir nova tecnologia para explorar a energia fóssil da região.

O **Canadá** será poupado das conseqüências mais severas relacionadas à mudança climática – furacões mais intensos e grandes ondas de calor –, e o aquecimento global deve abrir milhões de quilômetros quadrados para desenvolvimento. O acesso à rica Baía Hudson será melhorado e, sendo uma potência circumpolar, uma maior porção aquecida do Oceano Ártico deverá trazer bônus geopolítico e econômico. Além disso, o período de plantio se estenderá, a demanda de energia para aquecimento/refrigeração tende a cair e as florestas se expandirão, ocupando o lugar da tundra. No entanto, nem toda a terra do Canadá pode ser usada e alguns produtos florestais já estão sendo prejudicados devido a mudanças nas infestações de pragas provocadas pelo clima mais quente.

---

* Com o derretimento da calota de gelo que cobre o Oceano Ártico no verão, uma anomalia provocada pelo aquecimento global e revista para breve, este oceano se tornará navegável, encurtando consideravelmente as distâncias entre a Europa, a Ásia e a América do Norte – N. do T.

críticos de preços. A manutenção do preço dos alimentos baixos para aplacar os pobres urbanos e estimular a poupança com o objetivo de aumentar o investimento industrial distorceu, no passado, os preços dos produtos agrícolas. Se as elites políticas continuarem mais preocupadas com a instabilidade urbana do que com a renda rural – uma aposta em segurança em muitos países –, essas políticas devem persistir, aumentando o risco de diminuir o suprimento de alimentos no futuro. A tendência demográfica para a maior urbanização – particularmente nos países em desenvolvimento – leva à tendência de continuação das políticas falidas.

De hoje a 2025, o mundo terá de equilibrar preocupações conflitantes de concorrentes sobre segurança energética e de suprimentos de alimentos para ser capaz de superar conseqüências de difícil gerenciamento. Nos maiores exportadores de grãos (os EUA, Canadá, Argentina e Austrália), a demanda de biocombustíveis – aumentada pelos subsídios governamentais – exigirá maiores áreas de terra agricultável e maiores volumes de água para irrigação, mesmo se as tecnologias de produção e processamento de biocombustíveis forem mais eficientes. Essa mudança para as "culturas de combustível", somadas aos controles de exportação periódicos por parte dos produtores asiáticos e à crescente demanda de proteína por uma classe média maior em escala global, forçará os preços dos grãos no mercado mundial a flutuarem acima dos níveis atuais mais elevados. Alguns economistas argumentam que, com os mercados internacionais operando com um volume de grãos menor, a especulação – causada pela expectativa de aumento dos preços de combustíveis e padrões climáticos induzidos pela mudança climática mais erráticos – pode ter grande influência nos preços dos alimentos.

Um consórcio de grandes produtores agrícolas – entre os quais a Índia e a China, juntamente com parceiros americanos e europeus – tende a trabalhar para promover uma nova Revolução Verde[35], desta vez na África ao sul do Saara,

35. Como veio a ser batizado o aumento da produção de alimentos produzida, depois da Segunda Guerra, pela introdução de insumos químicos e outras tecnologias – N. do T.

Implicações estratégicas da abertura do Mar Ártico

As estimativas sobre quando o Oceano Ártico irá derreter completamente durante o verão variam. O Centro Nacional de Dados sobre Neve e Gelo sugere que isso deverá acontecer em 2060. Pesquisas mais atuais indicam que tal acontecimento pode suceder bem antes, em 2013. As duas implicações mais importantes da abertura do Ártico são o maior acesso a uma região que tende a ter vastas reservas energéticas e minerais e rotas marítimas potencialmente menores*.

O trânsito da rota do Mar do Norte acima da Rússia, entre o Atlântico Norte e o Pacífico Norte encurtariam as rotas que passam pelo Canal de Suez em cinco mil milhas náuticas** em uma semana. A viagem entre a Europa e a Ásia através da Passagem Nordeste do Canadá diminuiria a rota atual que passa pelo Canal do Panamá em quatro mil milhas náuticas***.

Os recursos e os benefícios trazidos por essas rotas não devem se materializar em 2025. O Conselho Nacional de Petróleo dos EUA afirmou que algumas das tecnologias usadas para explorar o petróleo do coração da região ártica não deverão existir antes de 2050. Contudo, essas riquezas e vantagens potenciais já são consideradas pelos EUA, Canadá, Rússia, Dinamarca e Noruega – conforme evidenciado pela emergência de demandas territoriais concorrentes, como as entre a Rússia e a Noruega e entre o Canadá e a Dinamarca. Embora uma quase tensão séria possa resultar em um confronto de baixa escala sobre as demandas territoriais, o Ártico não tende a ser um gatilho que irá disparar um grande conflito armado. Os países circumpolares têm seus maiores portos em outras regiões, de forma que o Ártico não representa qualquer perigo de causar derramamento de sangue. Além disso, esses países compartilham um interesse comum de controlar o acesso ao Ártico a fim de evitar a entrada de países hostis, países preocupantes ou perigosos e atores que não são Estados, além da necessidade comum de assistência por parte de empresas de alta tecnologia a fim de explorar os recursos do Ártico.

A maior conseqüência estratégica nas próximas duas décadas pode ser que países relativamente grandes, ricos e com deficiência de recursos, como a China, o Japão e a Coréia, venham a se beneficiar dos maiores recursos energéticos advindos de qualquer abertura do Ártico e das rotas de menor distância.

---

* O relatório não considera aqui o enorme custo ambiental que o derretimento do Ártico já está provocando, ameaçando de extinção diversas espécies da região, entre elas o urso polar, e prejudicando o *modus vivendi* das populações indígenas do Ártico – N. do T.

** 9.260 quilômetros – N. do T.

*** 7.408 quilômetros – N. do T.

que pode ajudar a diminuir a volatilidade dos mercados mundiais de grãos. Por volta de 2025, o aumento da produção africana de grãos será, provavelmente, substancial, mas os aumentos serão restritos principalmente aos países das regiões sul e leste do continente, as quais aprofundaram o relacionamento comercial e de segurança com os países do Sul e do Leste da Ásia. Em outros lugares ao sul do Saara, os conflitos civis e o enfoque político e econômico na mineração e extração de petróleo devem fazer com que o consórcio se esforce no sentido de aumentar e atualizar as redes de irrigação e de transporte rural, bem como disponibilizar crédito e investimento, o que permitiria equilibrar o crescimento populacional maior do que a produção agrícola.

Além da escassez de água e de terra cultivável atualmente projetada, o Relatório Stern, produzido pelo Ministério da Fazenda do Reino Unido[36], estima que por volta de meados do século, duzentas milhões de pessoas podem se tornar "refugiados ambientais" desalojadas permanentemente de suas casas e regiões – representando um aumento de dez vezes nos atuais números de refugiados no mundo todo[37]. Embora isso seja considerado por muitos especialistas como um número elevado, em geral concorda-se sobre os grandes riscos trazidos por

36. O Relatório Stern sobre a Economia das Mudanças Climáticas, lançado no final de outubro de 2006 pelo economista Nicholas Stern a pedido do governo britânico e publicado pela Cambrigde University Press, sugere que a elevação da média da temperatura planetária poderá diminuir o PIB global em 1% e provocar uma queda de 20% no consumo per capta mundial. Entre outras constatações, o relatório prevê que "nossas ações nas próximas décadas poderão criar o risco de quebrar as atividades econômicas e sociais, no final deste século e no início do próximo, colocando-as numa escala semelhante àquelas associadas às grandes guerras – mundiais – e à depressão econômica da primeira metade do século XX" – N. do T.

37. O aumento do nível dos oceanos, a desertificação, o desflorestamento, enchentes, a diminuição de reservas de água terminou por criar um novo fenômeno na arena global, os refugiados ambientais. São pessoas que não conseguem mais sobreviver nos seus locais de origem devido à degradação do meio ambiente que antes os supria. De acordo com o Instituto para a Segurança Humana e Ambiental, da Universidade das Nações Unidas, a deterioração ambiental já desloca de seus lares 10 milhões de pessoas por ano. Parte delas acaba voltando, mas outras nunca mais retornarão. Já em 1995, havia 25 milhões de refugiados ambientais contra 27 milhões de refugiados políticos, religiosos, ou de guerra. Segundo a ONG New Economics Foundation (NEF), até o final desta década haverão 50 milhões de refugiados ambientais em todo o mundo – N. do T.

Projeção da Escassez de Água em 2025

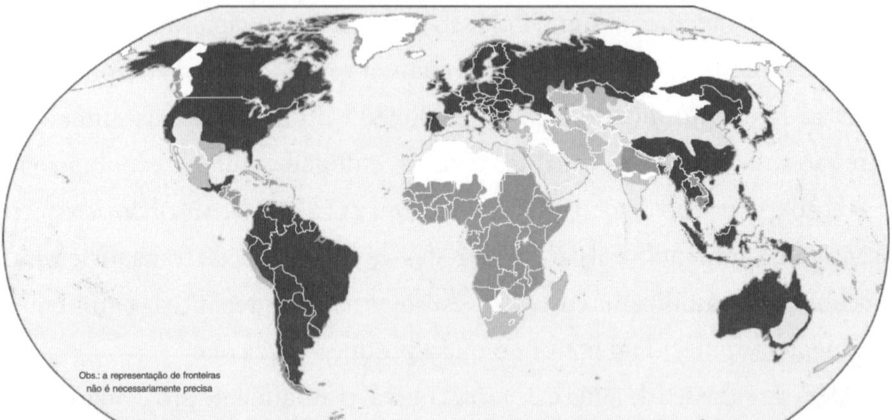

Escassez física de água: Mais de 75% do fluxo dos rios são alocados para a agricultura, indústria e uso doméstico. Essa definição de escassez – relacionando disponibilidade de água à demanda – implica que áreas secas não sofrem necessariamente de escassez de água.

Aproximando-se da escassez física de água: mais de 60% do fluxo dos rios são alocados. Tais bacias hidrográficas sofrerão escassez física de água no futuro próximo.

Escassez econômica de água: as reservas de água relativas ao uso são abundantes, com menos de 25% da água dos rios destinados ao uso humano.

Pouca ou nenhuma escassez de água: as reservas de água relativas ao uso são abundantes, como menos de 25% da água dos rios destinados ao uso humano.

Não estimado

Fonte: International WaterManagement Institute

Consumo per capita de água – 1995 e 2025

Metros cúbicos/pessoa/ano

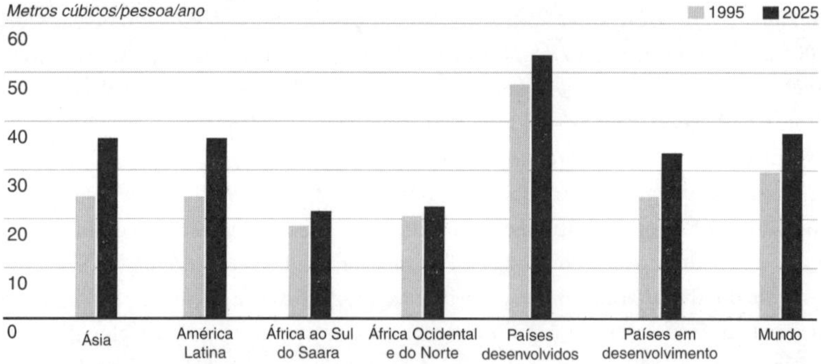

Fonte: International Food Policy Institute, Global Water Outlook to 2025

uma grande migração social e sobre a necessidade de uma melhor preparação. A maioria das pessoas desalojadas acaba se realocando em seus próprios países, mas no futuro muitos países terão diminuído sua capacidade de acomodar esses refugiados. Assim, o número de imigrantes procurando se mudar de locais sem condição de vida para países relativamente mais privilegiados deve aumentar. Os maiores fluxos refletirão muitos dos atuais padrões migratórios – do Norte da África e da Ásia Ocidental para a Europa, da América Latina para os EUA, e do Sudeste Asiático para a Austrália.

Durante os próximos 20 anos, as preocupações sobre os efeitos da mudança climática podem ser mais significativas do que qualquer mudança física ligada ao aquecimento global. A percepção de um meio ambiente sofrendo rápida alteração pode fazer com que os países tomem medidas unilaterais para assegurar recursos, território e outros interesses. O desejo de se engajar em uma maior cooperação multilateral dependerá de diversos fatores, como o comportamento de outros países, o contexto econômico, ou a importância dos interesses a serem defendidos ou conquistados.

Diversos cientistas temem que as recentes previsões subestimem o impacto da mudança climática e estejam erradas sobre o tempo em que esses efeitos serão realidade. Atualmente, os cientistas têm capacidade limitada para prever a tendência ou a magnitude das mudanças climáticas extremas, mas acreditam – baseados em precedentes históricos – que isso não acontecerá gradualmente ou suavemente.

Cortes drásticos das emissões de CO2 serão desvantajosas para as economias emergentes de rápido crescimento que ainda têm uma curva de eficiência baixa, mas também para os países desenvolvidos – como os EUA –, os quais serão igualmente afetados, e a economia global mergulharia em recessão ou algo pior.

Cenário global II: *A Surpresa de Outubro*

No relato fictício a seguir, a falta de atenção à mudança climática em todo o mundo resulta em fortes impactos inesperados, trazendo ao mundo

África ao sul do Saara: mais interação com o mundo e mais distúrbios

Em 2025, a África ao sul do Saara continuará sendo a região mais vulnerável da Terra em termos de desafios econômicos, tensões populacionais, conflito civil e instabilidade política. A fraqueza dos países e as relações problemáticas entre países e sociedades provavelmente prejudicarão as perspectivas da região nos próximos 20 anos, a não ser que haja engajamento internacional sustentado e, às vezes, intervenção. A região sul da África continuará a ser a sub-região mais estável e promissora em termos políticos e econômicos.

A África ao sul do Saara continuará a ser um grande fornecedor de petróleo, gás e metais aos mercados mundiais e cada vez mais irá atrair a atenção de países asiáticos que buscam acesso a commodities - entre eles a China e a Índia. No entanto, apesar da maior demanda global de commodities, a grande receita proveniente da venda de recursos pode não vir a beneficiar a maior parte da população ou resultar em ganhos econômicos significativos. Políticas econômicas pobres - enraizadas nos interesses patrimoniais e reformas econômicas incompletas - tenderão a exacerbar as divisões étnicas e religiosas, bem como o crime e a corrupção, em muitos países. As elites governantes tendem a continuar a concentrar a renda e acumular riqueza, enquanto a pobreza irá persistir ou piorar nas áreas rurais e se irradiará aos centros urbanos. A divisão entre as populações de elite e o restante deverá aumentar, reforçando condições que podem gerar extremismo político e religioso.

Por volta de 2025, a população da região deve passar de um bilhão, apesar dos efeitos da HIV/AIDS. Mais da metade da população terá menos de 24 anos e muitos estarão buscando oportunidades econômicas ou segurança física através da emigração das regiões de conflito, ou daquelas afetadas pela mudança climática ou pelo desemprego. Os primeiros efeitos globais da mudança climática, entre eles a escassez de água, irão começar a acontecer na África ao sul do Saara por volta de 2025.

Hoje, quase a metade dos países da África ao sul do Saara (23 de 48) são classificados como democracias, e a maioria dos países africanos está no rumo democrático, mas os países mais populosos da região e aqueles com grande crescimento populacional podem vir a corromper esse processo.

Embora a África já esteja assumindo mais responsabilidades que direcionarão seu desenvolvimento, a região será vulnerável ao conflito civil e a formas complexas de conflito entre Estados - com os militares fragmentados por divisões étnicas e outras, controle limitado das fronteiras e grupos de insurgentes e de criminosos atacando civis desarmados nos países vizinhos. A África Central contém os casos mais problemáticos, entre ele Congo-Kinshasa, Congo-Brazzaville, República Centro-Africana e Chad.

> Em contraste com outras regiões do mundo, as atitudes africanas em relação aos EUA continuarão positivas, apesar de que muitos governos africanos continuarão a criticar as políticas americanas para o Oriente Médio, Cuba e para o comércio global. A África irá continuar a pressionar por uma reforma da ONU e por uma representação permanente no Conselho Nacional de Segurança da ONU.

outro nível de vulnerabilidade. Atualmente, os cientistas não têm certeza se já alcançamos o ponto a partir do qual a mudança climática se acelera e já não podemos fazer muita coisa – inclusive reduzir as emissões – para mitigar os efeitos, mesmo no longo prazo. A maioria dos cientistas crê que quando soubermos qual é o ponto crítico já será tarde demais. As incertezas sobre se a velocidade e as vulnerabilidades ou impactos da mudança climática tendem a persistir pelos próximos 15-20 anos, até mesmo com o conhecimento aprofundado sobre mudança climática que se desenvolverá no período, de acordo com muitos cientistas.

Um evento climático extremo – conforme descrito no cenário a seguir – pode acontecer. Administrar a maior freqüência desses eventos, unidos a outros impactos físicos provocados pela mudança climática como a maior escassez de água e mais crises provocadas pela falta de alimentos, podem ocupar os líderes políticos cada vez mais, na medida em que a solução para tais problemas diminui. No exemplo, considera-se mudar a Bolsa de Valores de Nova York para um lugar menos vulnerável, mas também deve-se considerar seriamente a realocação de outras instituições para assegurar a continuidade das operações. Embora este cenário enfoque um evento que ocorre nos EUA, outros governos foram pegos de surpresa por diferentes tipos de desastres ambientais e tiveram graves prejuízos. Esforços para mitigar os efeitos – cortes adicionais das emissões de carbono – não devem fazer qualquer diferença, ao menos no curto prazo, de acordo com este relato. Tal mundo com maiores deslocamentos poderá ameaçar tanto os países desenvolvidos como os em desenvolvimento.

- Os países adotam uma mentalidade de "crescer acima de tudo" que leva a uma negligência e degradação generalizada do meio-ambiente.

- Os governos, particularmente aqueles que não têm transparência, perdem a legitimidade, conforme fracassam na administração dos desastres ambientais ou outros.
- Apesar do significativo progresso tecnológico, nenhuma "bala de prata" tecnológica foi descoberta para cessar os efeitos da mudança climática.
- As soluções nacionais para os problemas ambientais são de curto prazo e inadequadas.

THE WHITE HOUSE

Anotação no diário do presidente

1 de outubro de 2020

O termo "surpresa de outubro" fica voltando à minha cabeça... Creio que nós a vimos vindo, mas foi um grande choque quando ela chegou. Algumas das cenas eram como as da Segunda Guerra Mundial, só que desta vez não foi na Europa, mas em Manhattan. As imagens dos aviões de transporte da Força Aérea Americana e de navios evacuando milhares de pessoas após a enchente não saem da minha cabeça. Por que a estação de furacões tem de coincidir com a Assembléia Geral da ONU em Nova York? É muito ruim que isto tenha acontecido. É sem dúvida vergonhoso que metade dos líderes mundiais estivesse aqui para testemunhar – e um grande número deles teve de ser retirado da cidade por motivos de segurança.

Acho que o problema foi que não contávamos que isso iria acontecer. Ao menos não por agora. A maioria dos cientistas afirmou que os piores efeitos da mudança climática iriam acontecer apenas no final do século. Mesmo assim, alguns avisaram que havia chance de eventos climáticos extremos acontecerem antes do previsto e que um dos nossos grandes centros urbanos poderia ser atingido. Lembro-me de que a maioria dos meus conselheiros, depois de analisarem as últimas previsões sobre a mudança climática, achou que as chances de isso acontecerem eram muito pequenas. Mas fomos avisados de que tínhamos de descentralizar nossa geração de energia e melhorar nossa infra-estrutura para que pudéssemos enfrentar eventos climáticos extremos. Tragicamente, não demos ouvidos a esse aviso.

Nós sobreviveremos, mas Wall Street foi muito afetada e não creio que conseguiremos fazer com que a Bolsa de Valores de Nova York funcione com a mesma rapidez que conseguimos depois de 11/9. Na verdade, há dúvida se ela continuará a ser a bolsa de Valores de Nova York. Ela poderá ter seu nome mudado para "Bolsa de Valores de Garden State (Nova Jersey)" – que golpe duro para o orgulho navaiorquino!

Não é como se isto tivesse simplesmente acontecido do nada. Verdade seja dita: o problema foi nossa atitude em relação à globalização. Quando digo "nossa", quero dizer neste contexto, a elite mundial ou até mesmo os líderes menores de todo o mundo. Todos nós temos nos esforçado para incrementar ou manter grandes taxas de crescimento econômico. Temos muito de que nos orgulhar neste sentido. Evitamos ceder às pressões protecionistas e conseguimos re-energizar o comercio mundial. Mas não nos preparamos suficientemente para o custo que o crescimento irresponsável está cobrando do meio ambiente. O desastre de Nova York poderia não ter sido evitado com nenhuma das medidas que poderíamos ter tomado há 20 anos, mas o que estamos deixando para as gerações futuras ao ignorar os sinais? Achávamos que a tecnologia iria nos salvar, mas até agora ainda não encontramos a bala de prata que mataria o inimigo, e as emissões de carbono continuam a crescer.

O que não compreendemos é que o público geral de diversos países estava à frente de seus líderes na compreensão da urgência do problema, ou ao menos tinham uma noção melhor da necessidade de se promover mudanças. Este público foi o primeiro a adotar a geração de energia renovável, a usar tecnologias de água potável e a melhor conexão da Internet para evitar a concentração de pessoas que as tornam vulneráveis aos eventos climáticos extremos. Os europeus, claro, largaram na frente em termos de eficiência energética, mas eles sacrificaram o crescimento, e sem crescimento econômico não foram capazes de gerar trabalhos bem pagos.

Na China aconteceu o contrário – capitalismo demais. Não está claro, por exemplo, se o Partido Comunista Chinês (PCC) irá sobreviver ao escândalo sobre as barragens que ruíram e a devastação que isso provocou. Há algumas décadas, eu acharia isso possível. Naquela época, o público chinês estava tão grato pelos benefícios materiais conquistados pelos esforços que o governo fazia para a modernização do país que os chineses desculpavam praticamente tudo o que os líderes faziam. Hoje a situação é diferente. A classe média quer ar puro e água limpa. Ela não gosta da devastação ambiental que foi o preço da rápida modernização, ou da corrupção que fez desligar em suas usinas a carvão os equipamentos de captura de carbono fornecidos pelos EUA. O partido também está dividido. Metade acha que uma diminuição no ritmo de crescimento por conta da adoção de um crescimento ambientalmente sustentável e prudente possa ser politicamente devastadora, caso não sejam gerados empregos no mesmo nível. A outra metade compreende as dificuldades e está mais preocupada em mudar as prioridades da classe média. Eu não me surpreenderia se as 100 mil pessoas que morreram no recente desastre da represa se tornassem o fator a quebrar a legitimidade do PCC, na esteira das acusações de corrupção contra altos membros do partido.

continua...

Os países mais pobres sofreram muito por causa da nossa abordagem à globalização. Sei que falamos durante algum tempo que nem todos os barcos seriam resgatados e sobre a necessidade de se fazer alguma coisa a esse respeito. Mas achamos que era melhor que Bill Gates, as ONGs e outros lidassem com o problema. É claro, todos tinham de se envolver. As ONGs não conseguem montar operações para manter o ritmo. Os países têm, em algum ponto, que assumir a responsabilidade. A maioria daqueles países não tinha qualquer chance sem intervenção externa. O fato de termos tecnologia de água potável e não termos conseguido encontrar um modo de disponibilizá-la aos necessitados apenas piorou os impactos negativos da mudança climática.

Com o clima mudando rapidamente, estamos enfrentando mais problemas - embora não insuperáveis - para manter uma produção agrícola adequada. O fato de que os padrões climáticos implicam que certas áreas não são capazes de se sustentarem é mais desafiador do que aumentar o resultado agrícola. As pessoas migram para as cidades, mas a infra-estrutura é insuficiente para suportar esse aumento populacional. Isto, por sua vez, planta as sementes do conflito social que prejudica quaisquer medidas a favor da boa governança e coloca esses países em um círculo vicioso. Contabilizo cerca de 20 países nessa condição.

O problema é que alguns desses países não são pequenos, ou insignificantes em termos geopolíticos. Nós do mundo desenvolvido dependemos de alguns deles - como a Nigéria - para obtenção de recursos. Por conta da crescente desertificação ao norte, os conflitos religiosos entre cristãos e muçulmanos estão aumentando. Outra guerra civil semelhante a Biafra - só que desta vez ao longo das linhas norte-sul - não é inconcebível.

Temos conversado muito sobre esses problemas nas reuniões do G-14 e, de fato, nos engajamos em sérios exercícios conjuntos, mas está além de nós fazer algo a respeito da tempestade que se arma sobre nossas cabeças. Meu último pensamento antes de saudar os dignitários que foram transportados de avião e helicóptero para a recepção da Assembléia Geral da ONU: a projeção de crescimento estão muito ruins. O acumulo de desastres, reestruturações necessárias, permafrost* se derretendo, baixa produção agrícola, maiores problemas de saúde e outros estão cobrando um preço alto, muito mais alto do que prevíamos há 20 anos.

* O derretimento do permafrost, terreno pantanoso congelado na região do Ártico, tem potencial de liberar toneladas de gás metano - um poderoso gás de efeito estufa - na atmosfera, - N. do T.

CAPÍTULO 5

Maior Potencial de Conflito

Hoje, entendemos que o potencial de conflito – tanto entre países como dentro de países – para os próximos 15-20 anos será maior do que previmos no *O Relatório da CIA: como será o mundo em 2020*[38], particularmente no Oriente Médio. Grandes partes da região se tornarão menos voláteis do que são hoje e mais semelhantes a outras partes do mundo, como a Ásia oriental, onde as metas econômicas predominam, mas outras partes da região continuarão a ter conflito. A combinação de economias cada vez mais abertas e de políticos persistentemente autoritárias criam o potencial para as insurgências, guerras civis e conflitos entre países. Por volta de 2025, as ambições nucleares do Irã devem ficar claras, e a região ou será varrida por uma corrida armamentista, ou terá encontrado outra forma de estabelecer a segurança regional. Embora acreditemos que o apelo da Al-Qaeda e outros grupos terroristas internacionais irá diminuir nos próximos 15-20 anos, ainda haverá bolsões de apoio a essas organizações, assegurando uma ameaça contínua particularmente porque espera-se que a tecnologia letal esteja mais acessível.

Um arco da instabilidade menor em 2025?

Em nosso estudo anterior, ***O Relatório da CIA: como será o mundo em 2020***, afirmamos que os países mais suscetíveis ao conflito estavam no grande

38. Conforme título publicado no Brasil – N. do T.

arco de estabilidade que se estende da África ao sul do Saara, através do norte da África até o Oriente Médio, às Bálcãs, ao Cáucaso e à Ásia Central e do Sul e partes do sudeste asiático. Hoje, partes desse arco tendem a aumentar sua atividade econômica, com crescimento do PIB atingindo níveis moderados a elevados, reformas econômicas vagarosas, porém perceptíveis, performance regulatória melhorada, mercados financeiros mais profundos, níveis mais elevados de investimentos internacionais e intra-regionais com resultante transferência de tecnologia e o desenvolvimento de novos corredores de comércio. No médio a longo prazo, taxas mais elevadas de crescimento tendem a ser mantidas, caso os preços da energia se mantenham altos, mas não altos a ponto de diminuir o crescimento em outras regiões. A percepção de uma crescente vulnerabilidade às mudanças sistêmicas nos mercados mundiais de energia também deve atuar como um estimulador da reforma econômica, inclusive maior diversificação nos países ricos em fontes de energia.

Para os regimes, o gerenciamento da mudança econômica irá envolver um delicado ato de equilíbrio entre os imperativos de estimular o crescimento econômico e manter o governo autoritário. Embora alguns regimes possam vir a ter sucesso, a tendência é de que apenas um ou dois se tornem democracias genuínas, e um ou dois terminarão enfrentando desordem civil e conflito porque os governantes não tiveram visão ou porque assumiram políticas que não vingaram.

O risco crescente de uma corrida por armas nucleares no Oriente Médio

Vários países da região já estão pensando em desenvolver ou adquirir tecnologia nuclear útil para o desenvolvimento ou a aquisição de armas nucleares. Nos próximos 15-20 anos, as reações sobre as decisões que o Irã toma hoje sobre seu programa nuclear podem fazer com que vários países da região busquem intensificar a busca pela posse de armas nucleares. Isso acrescentará uma nova e mais perigosa dimensão com o que parece ser uma crescente

UMA CORÉIA NÃO NUCLEAR?

Vemos como provável a unificação da Coréia até 2025 – se não como um país único, pelo menos como uma forma de confederação Norte-Sul. Embora o trabalho diplomático para por um fim no programa de desenvolvimento de armas nucleares da Coréia do Norte continue, o caráter final da infra-estrutura nuclear da Coréia do Norte na época da reunificação permanece incerto. Uma nova Coréia reunificada lutando com a grande carga financeira da reconstrução irá, porém, tender a angariar aceitação internacional e assistência econômica através da desnuclearização da península, talvez de um modo semelhante ao que ocorreu na Ucrânia depois de 1991. Já uma Coréia frouxamente confederada poderia complicar os esforços para a desnuclearização. A unificação da Coréia também irá provocar outras conseqüências estratégicas, entre elas a perspectiva de novos níveis de cooperação das maiores potências para gerenciar novos desafios como a desnuclearização, a desmilitarização, os refugiados e a reconstrução financeira.

concorrência por influência na região, inclusive via procuração – como no caso dos xiitas no Irã e dos sunitas na maior parte dos países vizinhos[39] – e uma concorrência entre as potências exteriores ansiosas por preservar seu acesso aos suprimentos de energia e à venda de armas convencionais sofisticadas em troca de maior influência política e acordos de energia.

Não é inevitável... Historicamente, muitos países têm tido ambições de possuir armas nucleares, mas não foram muito longe. Os países podem preferir deter a tecnologia para produzir armas nucleares, em vez de realmente produzir tais armas. Restrições tecnológicas, o desejo de evitar isolamento político e a busca por maior integração na economia global podem motivar Teerã a postergar o desenvolvimento de armas nucleares. No entanto, até mesmo a *capacidade* iraniana de desenvolver armas nucleares pode provocar respostas desestabilizadoras dos países da região.

Se o Irã vier realmente a desenvolver armas nucleares, ou for percebido na região como tendo capacidade nuclear latente, outros países na região podem

39. Após a morte do profeta Maomé, seus seguidores se dividiram sobre quem deveria sucedê-lo. Os xiitas insistem que o genro e primo de Maomé, Ali, deveria ser seu sucessor. Os sunitas formam outro ramo do islamismo, segundo o "caminho moderado". Hoje, os sunitas representam cerca de 84% do total de muçulmanos, e os xiitas os restantes 16% – N. do T.

decidir *não* buscar desenvolver uma capacidade correspondente. É mais provável, porém, que alguns vizinhos do Irã percebam o desenvolvimento de armas nucleares por parte do Irã como uma ameaça existencial ou como uma mudança de poder na região inaceitável e, portanto, irão procurar desenvolver ou obter outras capacidades para contrabalançar. As garantias de segurança das potências nucleares existentes podem ser consideradas pelos países da região como fortes o bastante para contrabalançar uma possível capacidade nuclear do Irã, mas é claro que seria esperar demais que tais garantias satisfizessem todos aqueles preocupados com um Irã nuclear.

Mas potencialmente mais perigoso do que havia na Guerra Fria. A perspectiva de que o Irã venha a possuir e fabricar armas nucleares e causar mudanças e instabilidade ainda maior no equilíbrio de poder no Oriente Médio é a principal preocupação dos Estados árabes da região e podem levar alguns a considerar obter suas próprias armas nucleares. A crescente capacidade nuclear do Irã já é parcialmente responsável pelo interesse de energia nuclear no Oriente Médio, aumentando a preocupação de que ocorra uma corrida armamentista. A Turquia, os Emirados Árabes Unidos, Bahrain, Arábia Saudita, Egito e Líbia estão ou se mostraram interessados em construir novas instalações para geração de energia nuclear. As demonstrações futuras das capacidades nucleares do Irã reforçarão as percepções das suas intenções de desenvolver armas nucleares e têm o potencial de fazer com que outros países da região estabeleçam seus próprios programas de desenvolvimento de armas nucleares.

> *"Vemos como provável a unificação da Coréia até 2025 – se não como um país único, pelo menos como uma forma de confederação Norte-Sul."*

Não está claro se o tipo de relacionamento estável e dissuasor que existiu durante a maior parte da Guerra Fria emergirá naturalmente em um Oriente Médio com muitos países detendo capacidade militar. Em lugar dos episódios de supressão de conflitos de baixa intensidade, a posse de armas nucleares pode ser percebida como um "salvo conduto" para o engajamento em tais atividades ou até mesmo em atentados maiores, desde que alguns sinais vermelhos não sejam cruzados. Cada um desses incidentes entre países que possuem esse tipo de armamento iria, porém, diminuir o potencial de uma escalada nuclear.

A disseminação contínua da capacidade militar no Grande Oriente Médio, onde diversos países enfrentarão desafios de sucessão nos próximos 20 anos, também desperta novas preocupações sobre a capacidade de os Estados fracos manterem controle sobre seu arsenal nuclear. Se o número de países com capacidade nuclear aumentar, também aumentará o número de países que desejam fornecer assistência nuclear a outros países ou a terroristas. O potencial para o roubo ou o desvio de armas, materiais e tecnologia nucleares – e o potencial para o uso nuclear não autorizado – também aumentará. Finalmente, um número suficiente de países pode vir a decidir buscar desenvolver armas nucleares em reação à capacidade iraniana, a qual faz com que os países situados além da região também desenvolvam armas nucleares.

Novos conflitos por recursos?

O crescente aumento da demanda de energia por parte das populações e economias maiores pode levar ao questionamento quanto a disponibilidade, confiabilidade e custo dos suprimentos de energia. Tal situação aumentaria a tensão entre os países que competem por recursos limitados, especialmente se acompanhado por maior turbulência política no Oriente Médio e uma perda geral de confiança na capacidade do mercado de satisfazer maiores demandas. Empresas nacionais poderiam controlar a parte do leão dos recursos mundiais de hidrocarbonetos, levando a uma intromissão ainda maior do Estado nas transações de energia e a preocupações geopolíticas.

A percepção da escassez de energia levará países a tomarem medidas para assegurar seu acesso futuro às fontes de energia. No pior dos casos, isso poderá causar conflitos entre países, se os líderes políticos considerarem a garantia do acesso às fontes de energia essencial para a manutenção da estabilidade doméstica e à sobrevivência de seus regimes. Não obstante, mesmo as ações que não levarem à guerra terão importantes implicações geopolíticas na medida

Oriente Médio/Norte da África: a economia impulsiona mudanças, mas com maior risco de tumulto

O Oriente Médio e a África do Norte (OMAN) continuarão a ser uma região significativa em termos geopolíticos em 2025, devido à importância do petróleo para a economia mundial e à ameaça de instabilidade. O futuro da região dependerá de com os líderes irão lidar com os acasos do petróleo, as mudanças demográficas, as pressões para a mudança política e os conflitos regionais.

Em um cenário positivo, no qual o crescimento econômico se torna cada vez mais enraizado e sustentado, os líderes regionais decidirão investir na região; implementar políticas econômicas, educacionais e sociais que irão estimular o crescimento; promover reformas políticas que favorecem partidos políticos moderados – e provavelmente islâmicos –; trabalhar para terminar com os conflitos regionais; e implementar acordos de segurança que ajudarão a evitar instabilidades futuras.

- Em um cenário mais negativo, os líderes não prepararão as populações maiores para participar de maneira produtiva da economia global, regimes autoritários irão se agarrar ainda mais ao poder e se tornar mais repressivos e os conflitos regionais continuarão sem solução, conforme o crescimento populacional exaure os recursos.

Em termos demográficos, diversos países do Oriente Médio e da África do norte estão na mesmo posição que Taiwan e a Coréia do Sul ocupavam antes da sua decolada nas décadas de 1960 e 1970. Durante os próximos 15 anos ou mais, a proporção das populações economicamente ativas (entre 15-64 anos) em países como o Egito irá ultrapassar a população economicamente dependente mais do que em qualquer outra região. O diferencial fornece uma oportunidade de acelerar o crescimento econômico, se os governos promoverem políticas econômicas e sociais apropriadas. As perspectivas são melhores nos países do norte da África e do Golfo Pérsico.

- O investimento externo – grande parte do qual será proveniente da região – aumentará a integração entre as economias árabes e o desenvolvimento do setor privado. As indústrias mais promissoras em termos de oferta de trabalho tendem a ser a de serviços, colocando a região em um caminho de desenvolvimento diferente que o do leste da Ásia.
- Para maximizar o potencial de crescimento, os governos do OMAN precisarão melhorar seu sistema educacional para produzir uma força de trabalho mais técnica e melhor preparada, bem como para estimular os cidadãos acostumados a empregos no setor público a aceitar as demandas e volatilidades do setor privado. (As economias do leste da Ásia prosperarão devido ao esforço continuado por parte dos governos para melhorar rapidamente a qualidade da força de trabalho através da educação universal e ao desenvolver as indústrias exportadoras.)

Em outras regiões, a integração de jovens adultos na força de trabalho – somada à taxa de natalidade menor e ao encolhimento dos bolsões de juventude – possibilitou uma abertura à democratização. Cientistas sociais descobriram que, conforme uma parcela maior da população detinha uma posição no sistema, Estados que já foram autoritários, como a Coréia do Sul e Taiwan, sentiram que podiam experimentar uma liberalização política. Um importante grupo de países norte africanos – Argélia, Líbia, Marrocos, Egito e Tunísia – tem potencial para realizar tal nexo demográfico-democrático até 2025, mas não está claro se esses regimes autoritários irão usar essas oportunidades para liberalizar.

Um mundo muçulmano dividido? Embora o paradigma ocidental de separar a autoridade religiosa da secular ainda não seja muito atraente para o público muçulmano, uma maior ênfase na economia e, ainda mais importante, uma maior participação das mulheres na força de trabalho pode estimular novas correntes progressistas dentro do Islã. Isto não significa que as forças extremistas irão desaparecer. No curto prazo, eles podem se beneficiar do novo papel da mulher e dos modelos familiares alternativos. Mas com o tempo, a baixa fertilidade irá promover estabilidade política e religiosa e, se a secularização no sul da Europa puder ser usada como exemplo, em 2025 poderá haver versões modernizadas do Islã já enraizadas.

A canalização de dissidências políticas no discurso islâmico – uma variação da revivificação em escala global da identidade religiosa logo após a Segunda Guerra Mundial – e os esforços dos países no sentido de manipular as correntes islâmicas reforçarão o domínio do Islã nas políticas e sociedades do Oriente Médio em 2025. Como resultado, as pressões no sentido de se estabelecer maior pluralismo político tendem a conferir um papel de maior proeminência para os partidos políticos islâmicos e levar à reflexão sobre como o Islã e a política devem interagir e se influenciar. Tal processo deverá provocar perturbações políticas e sociais.

Mesmo que alguns países possam se tornar mais liberais, outros não irão: bolsões de juventude, conflitos profundamente enraizados e perspectivas econômicas limitadas devem manter a Palestina, o Iêmen, o Afeganistão, o Paquistão e outros na categoria de países de alto risco. A irradiação dos distúrbios a partir desses países e de outros com tal potencial aumentam as chances de que a prosperidade e estabilidade política que grassam em outras partes da região não vinguem. O sucesso dos esforços para gerenciar e resolver os conflitos regionais e para desenvolver arquiteturas de segurança que ajudariam a estabilizar a região será um importante determinante da capacidade que os países da região têm para fazer suas economias crescerem e realizar as reformas políticas necessárias.

A solução dos conflitos entre Israel, Síria e a Palestina, em particular, ampliaria o discurso ideológico e político dentro dos círculos islâmicos seculares, minando um pretexto tradicional para manter grandes exércitos e diminuir as liberdades ajudando a ampliar as tensões étnicas e sectárias da região.

continua...

> A trajetória do Irã também tende a ter impactos regionais duradouros – para o bem ou para o mal. O regime rebelde do Irã, sua identidade nacionalista e ambivalência em relação aos EUA tornarão qualquer transição dos dissidentes regionais rumo à modernização perigosa e desigual. Embora o desejo do Irã de estabelecer sua liderança na região – esforço do qual fazem parte suas ambições nucleares – não deva diminuir, sua orientação regional terá dificuldade para impedir as pressões externas e internas para que sejam feitas reformas. A percepção do púbico iraniano em relação aos interesses comuns maiores com o Ocidente no Iraque e no Afeganistão, por exemplo; a necessidade de se sustentar os progressos para o estabelecimento da paz entre israelenses e árabes, o que enfraquece os laços entre o Irã e a Síria; e a necessidade de se acomodar ou se alinhar aos aliados dos sub-Estados iranianos iria resultar em incentivos para melhoria da segurança regional e pressionaria o governo do Irã para se ajustar ao seu papel regional. Um consenso político dentro do Irã no sentido de desenvolver ainda mais seu significativo potencial econômico – potencialmente impulsionado por uma pressão popular sustentada contra a corrupção, a má gestão econômica e a queda da receita proveniente da venda de energia – pode fornecer um impulso adicional para mudar a política faccional iraniana para a esquerda e um incentivo para o Irã ajustar suas políticas com vistas a aliviar as sanções internacionais e dos EUA.

em que países adotarem estratégias para barrar a possibilidade de que as fontes existentes de energia não supram a crescente demanda. As considerações sobre segurança energética já estão levando países como a China e a Índia a comprar cotas de igualdade em campos de petróleo, e as concorrências estão cada vez mais sendo apoiadas por capacidades militares, aumentando o potencial de maiores tensões e até mesmo de conflito. Países com deficiência energética podem tornar a transferência de armas e tecnologias sensíveis e forjarem alianças políticas e militares para estabelecer relacionamentos estratégicos com países produtores de energia.

- A Ásia Central já se tornou uma área de intensa competição internacional por acesso à energia. Embora a Rússia e a China estejam hoje trabalhando em cooperação para reduzir a influência de potências exteriores, especialmente dos EUA, a concorrência entre os dois países na Ásia Central pode aumentar, se no futuro a Rússia buscar interferir com as relações da China na região, ou se a China se tornar mais

Segurança energética

Outros exemplos possíveis de militarização da segurança energética incluem:

Países que usam seu controle de recursos energéticos como arma de coerção e influência política. A Rússia está buscando se colocar em posição de controlar o suprimento e a rede de transporte de energia da Europa à Ásia Oriental. Isso permitiria a Moscou exercer seu controle sobre os fluxos de energia para promover a influência e os interesses russos.

Ameaça de terroristas e piratas à produção e ao trânsito de energia. Declarações públicas dos líderes da Al-Qaeda indicam que os terroristas têm interesse em executar atentado nas instalações petrolíferas do Golfo Pérsico. A proteção aos oleodutos, instalações e portos contra atentados terroristas será uma das principais preocupações em relação à segurança energética e uma das maiores missões das forças militares.

Instabilidade doméstica, insurgências e conflito em países produtores e exportadores de energia estratégicos. Atualmente, violência étnica e política e atividade criminosa ameaçam grande parcela da produção petrolífera da Nigéria. A falência do Estado em um dos principais países produtores de energia pode exigir intervenção militar por parte de potências estrangeiras para estabilizar os fluxos de energia.

agressiva na busca pela obtenção de acesso às fontes de energia em algumas partes da antiga União Soviética.

- O futuro desenvolvimento de novas técnicas de perfuração pode criar novas oportunidades para descobrir e explorar campos ultra-profundos. Tais campos, porém, podem estar localizados em áreas de posse contestada, como Ásia ou Ártico, criando potencial de conflito.

Os esforços no sentido de assegurar acesso futuro às fontes de energia também estão impulsionando maior concorrência naval. Apesar do crescente número de projetos de oleodutos, em 2025, os países asiáticos continuarão dependentes de transferências de energia de seus fornecedores do Oriente Médio. Isso aumenta a preocupação sobre a segurança marítima futura em uma zona que se estende do Golfo Pérsico até a Ásia Oriental e o Sudeste Asiático. As preocupações com a segurança marítima estão levando a uma série de desenvolvimentos navais e esforços de modernização na região, como o desenvolvimento de capacidades navais de "água azul"[40] por parte da China e da Índia para proteger ativos econômicos críticos e assegurar acesso às fontes de energia. Outras marinhas nacionais do Oriente Médio e da Ásia não serão capazes de substituir o papel exercido pela marinha dos EUA na proteção das rotas marítimas estratégicas em 2025, mas o desenvolvimento das capacidades navais regionais pode levar a crescentes tensões, rivalidades e respostas compensatórias.

- As crescentes preocupações sobre a segurança marítima podem criar oportunidade de cooperação multinacional na proteção de rotas marítimas críticas. As suspeitas mútuas em relação às intenções por trás dos desenvolvimentos navais por rivais regionais em potencial, ou o estabelecimento de alianças que excluem jogadores-chave, poderia, porém, minar os esforços de cooperação internacional.
- Uma corrida armamentista naval na Ásia poderia surgir em resposta ao desenvolvimento do poderio naval chinês. Uma corrida armamentista naval também poderia ser impulsionada por capacidades de "anti-acesso" – como submarinos de ataque e mísseis anti-embarcações de longo alcance –, as quais seriam entendidas como um esforço de Pequim para estender sua influência política na região e frustrar as tentativas de cortar a recepção da energia importada por meio da ameaça de interrupção do comércio marítimo.

A mudança climática não deve causar guerra entre países, mas poderá levar a tensões entre Estados cada vez mais acaloradas e possivelmente a conflitos armados de baixa intensidade. Por conta da crescente escassez de água em diversas regiões, a cooperação sobre as reservas de água deve se tornar cada vez mais difícil dentro e entre os Estados, causando tensão nas relações regionais. Tais regiões incluem a área do Himalaia, que alimenta os maiores rios da China, Paquistão, Índia e Babgladesh; territórios de Israel e da Palestina; ao longo

40. Ver N. do T. página 47.

do Rio Jordão (Israel-Jordão) e o Vale Fergana na Ásia Central. Tais cenários não são inevitáveis, mesmo com impactos da mudança climática piores que os previstos. Desenvolvimentos econômicos, a disseminação de novas tecnologias e novos mecanismos de cooperação multilateral para lidar com a mudança climática podem promover maior cooperação em escala global.

Outro uso para as armas nucleares?

O risco de uso de armas nucleares durante os próximos 20 anos, embora continue muito baixo, deve ser maior do que é hoje por conta de diversas tendências convergentes. A disseminação de tecnologias nucleares e conhecimento técnico e científico está gerando preocupações sobre o potencial de emergência de novos países que detêm armas nucleares e sobre a aquisição de materiais nucleares por grupos terroristas. Os freqüentes embates de baixa intensidade entre a Índia e o Paquistão continuam a nutrir a suspeita de que tais eventos levem a um conflito maior entre essas potências nucleares. A possibilidade de mudança para um regime problemático no futuro em um país que detém armamento nuclear, como a Coréia do Norte, também continua a levantar questões sobre a capacidade dos países pequenos de controlar e garantir seus arsenais nucleares.

Além dessas graves preocupações, novos desenvolvimentos políticos e militares podem erodir ainda mais o "tabu" nuclear. A perspectiva de um Irã dono de arsenal nuclear provocando uma corrida armamentista no Grande Oriente Médio colocará novos desafios de segurança a uma região já propensa ao conflito, particularmente em conjunção com a proliferação de armas nucleares por países com governos fracos e procedimentos de controle pífios, aumenta a probabilidade de uso nuclear acidental ou não-autorizado.

Futuras assimetrias das capacidades militares convencionais entre rivais em potencial pode fazer os países fracos perceberem as armas nucleares como necessárias e a considerá-las uma forma justificável de defesa como resposta à ameaça de ataques. Em tais casos, a potência que estará se defendendo pode tentar limitar o potencial de o conflito assumir grandes proporções empregando um teste de armas nucleares como sinal e assim interromper a agressão, ou então confinar o uso de armas nucleares à defesa de seu próprio território. As opções de ataque com destruição física limitada, como os que usam armas de baixo alcance ou explosões nucleares de alta altitude destinadas a destruir as redes e sistemas de informação do inimigo via efeito de pulso eletromagnético poderia erodir ainda mais o tabu contra o uso de armas nucleares e levar a uma nova avaliação da vulnerabilidade das forças militares modernas convencionais.

Se as armas nucleares forem usadas com o intuito de causar destruição nos próximos 15-20 anos, o sistema internacional terá repercussões humanitárias, econômicas, políticas

continua...

e militares imediatas. No entanto, a maneira como o mundo responderia no longo prazo a outro uso de armas nucleares tenderia a depender do contexto em que tais armas forem usadas. As percepções prevalecentes sobre se o uso de uma arma nuclear foi justificado, o nível de destruição por ela produzido e o uso futuro de armas nucleares provocariam reações globais quanto à proliferação e ao desarmamento nuclear.

- O uso de armas nucleares por terroristas em um conflito entre potências nucleares, como a Índia e o Paquistão, demonstraria graficamente o perigo das armas nucleares, causando manifestações globais a favor do desarmamento nuclear e fortalecendo esforços para conter a proliferação e medidas de contra-terrorismo.

Um teste nuclear bem-sucedido ou o uso de arma nuclear por um país para deter ou repelir um ataque convencional poderia, por outro lado, aumentar a percepção da utilidade das armas nucleares na defesa da soberania territorial e aumentar as pressões para a proliferação em países que não possuem exércitos fortes ou que não têm garantias de segurança.

Em qualquer um dos casos, um uso futuro de armas nucleares provocaria mudanças geopolíticas significativas, pois alguns países tenderiam a estabelecer ou reforçar alianças de segurança com as potências nucleares existentes e outros iriam pressionar pelo desarmamento nuclear global. Na Europa, por exemplo, poderiam surgir divisões entre alguns países da Europa Ocidental que apóiam o desarmamento e aqueles da Europa Oriental que ainda possam temer o arsenal nuclear da Rússia.

Terrorismo: boas e más notícias

O terrorismo não tende a desaparecer até 2025, mas seu apelo pode diminuir, se o crescimento econômico se mantiver e o desemprego entre jovens for mitigado no Oriente Médio. As oportunidades econômicas para os jovens e um maior pluralismo político provavelmente irão dissuadir alguns jovens a participarem de grupos terroristas, mas – motivados por vários fatores, como desejo de vingança ou de se tornarem "mártires" – outros continuarão a se voltar à violência para alcançarem seus objetivos.

"Para os grupos terroristas ativos em 2025, a difusão de tecnologias e de conhecimento científico irá colocar algumas das mais perigosas capacidades do mundo ao seu alcance."

- Na ausência de oportunidades de emprego de meios legais que garantam a expressão política, poderá haver descontentamento, maior radicalismo e possível recrutamento de jovens por parte dos grupos terroristas.
- Em 2025, os grupos terroristas e insurgentes deverão ser uma combinação de descendentes dos grupos há muito estabelecidos – que irão herdar suas estruturas organizacionais, de comando, seus processos de controle e procedimentos de treinamento necessários para empreender atentados sofisticados – e novas levas de pessoas deslocadas e com sede de vingança que se tornarão radicais.

Na medida em que a desestabilização social gerada pela escassez de recursos, governos fracos, rivalidades étnicas ou degradação ambiental aumentarem no Oriente Médio, as condições para a disseminação de radicalismo e insurgências continuarão fortes. O radicalismo do futuro pode ser estimulado pelas comunicações globais e pela mídia de massa. Melhores interconexões permitirão que indivíduos se unam ao redor de causas comuns além das fronteiras nacionais, criando novos grupos de pessoas raivosas, oprimidas e deslocadas. Em algumas situações, essas novas redes podem atuar como forças para o bem ao pressionar os governos por meios não violentos, buscando soluções para a injustiça, pobreza, os impactos da mudança climática e outros temas sociais. Outros grupos, porém, podem usar as redes de comunicação global para recrutar e treinar novos membros, promover ideologias radicais, gerir suas finanças, manipular a opinião pública e coordenar ataques.

Do lado positivo, o suporte às redes terroristas do mundo muçulmano parece estar declinando. Para terem sucesso, os grupos terroristas precisam de um grande número de contribuintes que forneçam ativos e que simpatizem com os objetivos dos terroristas. A redução do número de tais contribuintes é vital para diminuir o apelo dos grupos terroristas dentro das sociedades. A análise das comunicações entre terroristas indica que eles se vêem "perdendo" a batalha para os valores materialistas do Ocidente. A pesquisa e a análise de websites pró-jihad indicam crescente insatisfação popular em relação às baixas de civis – principalmente de muçulmanos – causadas por ações terroristas.

Porque a onda terrorista da Al-Qaeda pode estar no final

No momento em que a Al-Qaeda celebra seu vigésimo aniversário, a maioria dos especialistas afirma que a luta contra a organização continuará indefinidamente, a chamada "longa guerra". Outros especialistas que estudaram "ondas" terroristas do passado acreditam que a Al-Qaeda é um grupo que está "envelhecendo" de acordo com os padrões terroristas e sofre de fraqueza estratégica que pode levá-la à decadência e à marginalidade, talvez encurtando o tempo de vida da onda terrorista islâmica.

Uma onda terrorista é um ciclo de atividade – que pode durar até 40 anos – caracterizado por fases de expansão e contração: ascensão, inundação de violência e declínio. O conceito de onda de terror, ou onda terrorista, foi desenvolvido pelo professor da UCLA (University of California Los Angeles) David C. Rapoport e forneceu uma base para a análise comparativa de movimentos terroristas. Em cada onda, atividades terroristas semelhantes ocorrem em diversos países, impulsionadas por uma visão comum – como o anarquismo, o marxismo, nacionalismo ou extremismo islâmico. ***Os grupos terroristas que formam a crista de cada onda normalmente se dissolvem antes da dissolução da própria onda e sua decadência contribui para o final da onda.*** A fraqueza da Al-Qaeda – objetivos estratégicos não atingidos, falta de habilidade para atrair maior apoio e ações autodestrutivas – pode fazer com que essa organização decaia mais cedo do que muitos imaginam.

Pesquisas indicam que os objetivos estratégicos terroristas fracassam em duas frentes. Os objetivos que constituem ameaça à ordem política existente levam a medidas de contra-terrorismo, enquanto os objetivos que são vistos como inatingíveis ou sem relevância na solução de problemas têm pouco apelo para as elites e para a população local. As duas metas estratégicas básicas da Al-Qaeda – o estabelecimento de um califado islâmico global e a remoção da influência americana e ocidental para que os regimes "apóstatas" caiam – são ameaças factuais para muitos governos muçulmanos atuais e estão provocando a adoção de fortes medidas de contra-terrorismo.

- Há pouca indicação de que a grande maioria dos muçulmanos acredite que tais objetivos são realistas ou que, se eles vingassem, que resolveriam os problemas práticos de desemprego, pobreza, sistemas educacionais fracos e governos disfuncionais.

Apesar da simpatia por algumas dessas idéias e do surgimento de grupos afiliados em locais como Magrebe*, a Al-Qaeda não conseguiu angariar apoio significativo no mundo islâmico. Sua forte ideologia e política pan-islâmicas constitui atrativo para apenas uma pequena minoria de muçulmanos.

* Região do Norte da África que abrange o Marrocos, o Saara Ocidental, a Argélia e a Tunísia. O chamado Grande Magrebe inclui, além desses países, a Mauritânia e a Líbia – N. do T.

- De acordo com um estudo sobre as atitudes públicas em relação à violência extrema, há pouco apoio para a Al-Qaeda em todos os países pesquisados – Argélia, Egito, Jordânia, Kuwait, Líbano, Marrocos, Qatar, Arábia Saudita, Emirados Árabes Unidos e Iêmen. O relatório também revelou que a maioria da população em todos os países árabes se opõem à violência da jihad**, por qualquer grupo, em seu próprio território.
- A Al-Qaeda está alienando possíveis membros muçulmanos ao assassinar muçulmanos nos seus atentados. Uma pesquisa acadêmica recente indica que os grupos terroristas que matam civis raramente realizam seus objetivos estratégicos. Embora seja difícil determinar com precisão o número de muçulmanos em todo o mundo que morreram em atentados da Al-Qaeda, o exame das evidências disponíveis sugere que pelo menos 40% das vítimas eram muçulmanas.

O ciclo de aproximadamente 40 anos das ondas terroristas sugere que os sonhos que inspiraram os pais dos membros de grupos terroristas a se filiarem a grupos em particular não são mais atraentes para as gerações seguintes. A perspectiva de que a Al-Qaeda esteja entre o pequeno número de grupos que transcendem o período de gerações não é grande, devido à sua ideologia radical, objetivos estratégicos inatingíveis e incapacidade de se tornar um movimento de massa.

A Al-Qaeda, ao se basear quase que exclusivamente em atividades terroristas para conquistar seus objetivos estratégicos, em vez de se transformar em um movimento político como o Hizbollah ou o Hamas, usa um estratagema que raramente é bem-sucedido. Pesquisas acadêmicas recentes indicam que apenas 6% dos grupos terroristas ativos nos últimos 40 anos atingiram os objetivos estratégicos a que se propunham.

A falta de sucesso da Al-Qaeda na execução de atentados contra o "inimigo distante" pode anunciar um período de futilidade operacional que levará a uma frustração cada vez maior, menor elã organizacional e incapacidade de atrair novos membros.

Como a História sugere que o movimento terrorista islâmico mundial irá sobreviver à Al-Qaeda, os esforços estratégicos de contra-terrorismo precisarão considerar como e porque um grupo terrorista sucessor pode surgir durante os anos que restam para a "onda terrorista islâmica".

** Entre os preceitos básicos da *suna*, o livro onde se encontram as bases da tradição muçulmana, está a *djihad*. Por vezes malcompreendida, a *djihad* ou *jihad*, pode ser realmente traduzida como "Guerra Santa". Segundo o filósofo franco-argelino convertido ao islamismo Roger Garaudy, "há duas grandes formas de se fazer a Guerra Santa preconizada pelo Profeta: a 'Grande *jihad*', ou luta contra o ego, e a 'Pequena *jihad*', que é a busca de persuasão do infiel aos caminhos do Profeta" – N. do T.

Para os grupos terroristas que estiverem ativos em 2025, a difusão de tecnologias e de conhecimento científico irá colocar algumas das mais perigosas capacidades mundiais ao seu alcance. A globalização das indústrias biotecnológicas está difundindo conhecimento e capacidade e, assim, aumentando o acesso de elementos patogênicos biológicos que podem ser usados em atentados. Armas radiológicas e químicas também podem ser usadas pelos terroristas ou por insurgentes que buscarem obter vantagem sobre forças militares ou de segurança contrárias e para criarem mortes em massa. A proliferação de armas táticas avançadas aumentará o potencial de que elas sejam usadas por terroristas. Melhores mísseis anti-tanques guiados e outros sistemas de armamentos portáteis, termobáricos e outros explosivos avançados e a difusão de sensores e tecnologia robótica baratos podem ser usados para criar dispositivos explosivos mais capazes – o que bem ilustra este perigo.

Alguns governos tenderão a responder a um aumento da ameaça terrorista e às ameaças internas por meio da expansão das forças domésticas de segurança, capacidades de vigilância e o emprego de forças de operações especiais. Como resultado da crescente urbanização, as missões de contra-terrorismo e de contra-insurgência irão cada vez mais envolver operações urbanas. Os governos, por conta da necessidade de maior segurança interna e do desejo de controlar o influxo de imigrantes indesejados, podem cada vez mais erigir barricadas e cercas ao redor de seus territórios para inibir o acesso[41]. As comunidades fechadas por muros continuarão a existir em muitas sociedades, conforme as elites buscam se isolar das ameaças domésticas.

Afeganistão, Paquistão e Iraque: trajetórias locais e interesses externos

Os desenvolvimentos no Afeganistão, Paquistão e Iraque irão afetar criticamente a estabilidade regional e até mesmo a ordem global. Por volta de 2025, as trajetórias desses três países terão provavelmente divergido muito.

41. A exemplo do muro construído por Israel para isolar a Faixa de Gaza – N. do T.

Um diferente caráter do conflito

O conflito continuará a existir nos próximos 20 anos, com os combatentes se adaptando aos avanços científicos e tecnológicos, às evoluções armamentistas e às mudanças no ambiente de segurança. A guerra em 2025 deve ser caracterizada pelas seguintes tendências estratégicas:

A crescente importância da informação. Os avanços nas tecnologias de informação estão permitindo novas sinergias de combate por meio da combinação de armas de precisão avançadas, melhores capacidades de vigilância, maior comando e controle e a expansão do uso de inteligência artificial e robótica. A proliferação futura de armas de precisão de longo alcance irá permitir a um maior número de países obterem a rápida destruição das infra-estruturas econômicas, energéticas, políticas, militares e de informação de um adversário. A maior importância das tecnologias de informação no aumento das capacidades militares modernas tornará a própria informação um alvo primário nos conflitos futuros. Por volta de 2025, alguns países provavelmente empregarão armas destinadas a destruir ou prejudicar as redes e sistemas de informação, de sensores e de comunicação, usando armas anti-satélite, de radiofreqüência e laser.

A evolução de capacidades de guerra irregulares. A adoção de táticas de guerra irregulares, tanto por Estados como por atores que não são Estados, como abordagem básica de guerra na contenção de capacidades militares avançadas, será uma das principais características dos conflitos em 2025. A difusão de armamentos leves, os quais incluem sistemas de armamentos de precisão tática e portáteis, e de tecnologias de informação e de comunicação irão aumentar significativamente a ameaça de formas irregulares de combate nos próximos 15-20 anos. As modernas tecnologias de comunicação como satélites e telefones celulares, a Internet e a codificação comercial combinadas com dispositivos compactos de navegação e sistemas de informação de alta capacidade que podem conter grandes quantidades de textos, mapas, imagens digitais e vídeos permitirão que as futuras forças irregulares organizem, coordenem e executem suas operações.

A proeminência dos aspectos não militares da guerra. Os meios não militares de guerra, como as formas de conflito cibernéticas, econômica, de recurso, psicológicas e de informação se tornarão mais prevalecentes nos conflitos durante as duas próximas décadas. No futuro, países e atores que não são Estados adversários irão se engajar em uma "guerra de mídia" que dominará a programação de notícias nas 24 horas do dia e manipularão a opinião pública para promover seus objetivos e angariar apoio às suas causas.

A expansão e escalada dos conflitos para além do campo de batalha. A contenção da expansão e da escalda dos conflitos se tornará mais problemática no futuro. O avanço da capacidade das armas, como a precisão de longo alcance, a contínua proliferação de armas de destruição em massa e o emprego de novas formas de guerra, como a cibernética e a espacial, irão fornecer aos exércitos nacionais e aos atores que não são Estados os meios de expandir os conflitos para além do campo de batalha.

Em 2025, o **Afeganistão** pode ainda manter padrões significativos de interações e conflitos tribais. Com exceção do interlúdio do Talibã, o Afeganistão nunca teve uma forte autoridade central. Forças centrífugas tendem a continuar fortes, mesmo que Cabul aumente sua influência.

- O desenvolvimento de infra-estrutura, a assistência econômica e as construções promovidas pelo Ocidente tendem a se tornar motivo de novos conflitos locais, em vez de se tornarem a base de uma unidade econômica e social coesa no estilo ocidental.
- A globalização tornou o ópio (papoulas) a lavoura mais lucrativa do Afeganistão. O país terá dificuldade para desenvolver alternativas, particularmente se os laços econômicos e comerciais com a Ásia Central, o Paquistão e a Índia não forem desenvolvidos.

No Afeganistão, as disputas sectárias e tribais provavelmente continuarão a surgir, a serem resolvidas através de luta armada e a tomarem novos rumos, à medida em que os vários atores se alinham e se realinham. As tribos que não estiverem diretamente envolvidas optarão por fazer alianças locais, destruir terroristas inimigos, conquistar acesso aos recursos locais e promover outros interesses imediatos, ou metas mais ambiciosas – e caras.

Ao se considerar a trajetória do vizinho Afeganistão, o futuro do **Paquistão** é uma carta incerta. A província da fronteira noroeste do Paquistão e as áreas tribais provavelmente continuarão a ser fracamente governadas e fonte de instabilidade entre fronteiras. Se o Paquistão não for capaz de se manter unificado até 2025, uma maior coalizão de tribos Pashtun deve agir conjuntamente para extinguir a Linha Durand[42], aumentando o espaço dos pashtuns às custas dos punjabis do Paquistão e dos tajiks e outras etnias do Afeganistão. Alternativamente, o Talibã e outros ativistas extremistas poderiam ser capazes de intimidar pelo menos algumas políticas tribais.

42. A Linha Durand é a fronteira entre o Paquistão e o Afeganistão – uma divisão artificial que o governo afegão não reconhece.

No **Iraque**, numerosos atores étnicos, sectários, tribais e locais irão competir para estabelecer e aumentar áreas de autoridade política e social, acesso a recursos e controlar a distribuição desses recursos através de suas redes.

- Em 2025, o governo de Bagdá ainda poderá ser objeto de concorrência entre as várias facções que buscam apoio estrangeiro e ocupar seus espaços, em vez de lutarem por uma posição de agente da autoridade política, legitimidade e política econômica.

O que acontecer no Iraque irá afetar os vizinhos, bem como os concorrentes internos. O Irã, a Síria, a Turquia e a Arábia Saudita terão cada vez mais dificuldade para se manterem distantes. Um Iraque incapaz de manter a instabilidade interna pode continuar a provocar conflitos na região. Se os conflitos crescerem de forma a se tornarem guerra civil, o Iraque poderá continuar a fornecer aos outros países da região uma forte demonstração das conseqüências adversas do sectarismo. Alternativamente, um Iraque estável poderia servir de exemplo positivo de crescimento econômico e desenvolvimento econômico.

- Todos os atores procurarão os EUA para garantir estabilidade, mas Teerã continuará a temer os desígnios dos EUA com relação ao regime e à soberania do Irã.
- As pesquisas de opinião pública tenderão a continuar a sugerir uma aderência ao status de ser "iraquiano", mas a persistência de sistemas de segurança, organizações sociais e redes de subsistência econômica concorrentes animarão as identidades locais e sectárias.

Os **sunitas**[43] terão interesse no Estado central apenas se este lhes garantir aquilo que julgam ser sua parte na partilha dos recursos gerados em sua maior parte fora das suas áreas de controle. Fora tal satisfação, a agitação provocada por jihadistas sunitas, líderes tribais e outros atores pode continuar a ser um fator desestabilizador. Além disso, qualquer aumento significativo do número

43. Vide N. do T. página XX.

O fim da ideologia?

Acreditamos que os conflitos ideológicos semelhantes à Guerra Fria não devem acontecer em um mundo onde a maioria dos países estará preocupada com os desafios pragmáticos da globalização e com as mudanças de alinhamento no poder mundial. A força da ideologia tende a ser mais forte no mundo muçulmano – particularmente no mundo árabe, onde diversas expressões islâmicas continuarão a influenciar profundamente as normas sociais e a política, bem como servir como um prisma através do qual os indivíduos irão absorver as forças econômicas e culturais da globalização. Maior observação religiosa e a falência do nacionalismo secular árabe deixarão os movimentos políticos e sociais islâmicos melhor posicionados para assegurar sua influência ideológica sobre governos e públicos em grande parte do mundo muçulmano nos próximos 15-20 anos.

O discurso islâmico nessa época será cada vez mais fluído, na medida em que a liderança clerical se afasta dos centros de aprendizado estabelecidos e das tradições de jurisprudência para afirmar suas interpretações do Alcorão e do Hadith (tradição oral islâmica). A tendência da diminuição da influência da tradição, auxiliada pela difusão de tecnologias de mídia, encorajará a divulgação do salafismo (referência pelo primeiro período do Islã), inclusive das suas formas mais radicais, com risco de minar as relações com aliados ocidentais do mundo muçulmano, especialmente no Oriente Médio. Não obstante, a dispersão da autoridade religiosa em redes de pensadores também poderia estabelecer a revivificação de perspectivas inovadoras quanto ao relacionamento do Islã com o mundo moderno e servir de contrapeso para a tendência radical.

A direção do esforço ideológico interno do Islã será determinado basicamente pelas condições locais. Em países onde as tendências econômicas e demográficas forem favoráveis e os governos optarem pelos benefícios da globalização, haverá fortes incentivos de reviver e aumentar os ensinamentos islâmicos que promovem inovação cultural, aprendizado científico, experimentação política e respeito pelo pluralismo religioso. Nesses países que tendem a enfrentar os problemas colocados por bolsões de juventude e pela fraca estrutura econômica – com o Afeganistão, Nigéria, Paquistão e Iêmen –, a tendência radical salafi tende a se fortalecer.

de sunitas iraquianos que imigrassem à Jordânia e à Síria poderia ameaçar a estabilidade desses países.

Os **xiitas**[44], empolgados com sua recém-adquirida primazia, sempre foram historicamente divididos e as rivalidades pessoais entre os Sadrs, Hakims e

44. Vide N. do T. página XX.

outros notáveis xiitas tende a continuar fornecendo as cores da política dessa comunidade. As tribos de etnia sunita-xiita misturadas poderão servir como um fator de integração entre comunidades, mas apenas se o desenvolvimento econômico levar a uma administração central e a um sistema nacional mais transparentes e confiáveis para a produção e a distribuição material.

O desenvolvimento de um exército nacional bem interado poderia ser um fator importante na maximização das perspectivas de um Estado iraquiano mais funcional. Isso exigiria a substituição dos atuais laços de lealdade tribais e sectários entre oficiais e soldados por um senso de corporação mais robusto e pelo interesse nos objetivos da nação.

Emergência potencial de uma pandemia global

A emergência de uma nova doença respiratória humana altamente transmissível e virulenta para a qual não há contramedidas adequadas poderia iniciar uma pandemia global. Se uma pandemia surgir por volta de 2025, tensões e conflitos internos e externos poderão ocorrer conforme os países lutam – com capacidades degradadas – para controlar o movimento de populações que buscam evitar infecção ou manter acesso aos recursos.

O surgimento de uma pandemia depende de uma mutação genética natural ou um reagrupamento das doenças atualmente em circulação ou do surgimento de um novo elemento patogênico na população humana. Os especialistas consideram que tipos de gripe aviária (HPAI, conforme sigla em inglês) altamente patogênicos, como a H5N1, são os candidatos para essa transformação, mas outros elementos patogênicos – como o coranavirus SARS ou outros tipos de gripe – também têm esse potencial.

Se uma pandemia surgir, ela provavelmente irá ocorrer em uma área marcada por grande densidade populacional e com próxima associação entre humanos e animais, como muitas áreas da China e do sudeste asiático, onde populações humanas vivem muito próximas dos animais de criações. Práticas de cruzamento animal irregulares podem permitir que uma doença zoonótica como o H5N1 circule nas populações de criações – aumentando a oportunidade de mutação para um tipo de doença com potencial pandêmico. Para se propagar fortemente, a doença teria de ser transmitida em áreas de grande densidade populacional.

Em tal cenário, capacidades de monitoramento de saúde inadequadas no país de origem provavelmente prejudicariam a identificação da doença em seu estado inicial. Uma resposta vagarosa por parte das instituições de saúde pública atrasaria a percepção

continua...

do surgimento de um elemento patogênico altamente transmissível. Poderiam se passar semanas antes que os testes laboratoriais confirmassem a existência de uma doença com potencial pandêmico. Nesse ínterim, focos da doença começariam a aparecer nas cidades do sudeste asiático. Apesar dos limites impostos às viagens internacionais, os viajantes com sintomas leves ou imperceptíveis poderiam levar a doença a outros continentes.

Ondas de novos casos poderiam ocorrer dentro de período de poucos meses. A ausência de uma vacina eficiente e falta de imunidade quase universal deixaria as populações à mercê da infecção*. No pior dos casos, dezenas a centenas de milhões de americanos dentro dos EUA ficariam doentes e as mortes chegariam a dezenas de milhões**. Fora dos EUA, haveria degradação crítica da infra-estrutura e perda econômica em escala global, se aproximadamente um terço da população mundial contraísse a doença e centenas de milhões morressem***.

* Organizações de saúde americanas e mundiais estão atualmente trabalhando para desenvolver vacinas que possam prevenir ou mitigar pandemias de gripes. Um desenvolvimento nesse sentido poderia reduzir o risco colocado por uma pandemia dessas nas próximas décadas.

** A velocidade de transmissão da doença, a quantidade de pessoas doentes, o tempo que permanecerão doentes, as taxas de mortalidade e os sintomas e seqüelas irão variar de acordo com as características específicas do elemento patogênico responsável pela pandemia. Esse cenário apresenta características plausíveis que projeta uma ampla gama de possibilidades para essas variáveis.

*** Algumas multinacionais já trabalham com uma quase certeza de pandemia. A farmacêutica Novartis investiu valores elevados em ativos e treinamentos para a implementação de um plano mundial de contingenciamento para que quando – ou caso – a pandemia aconteça, a empresa não interrompa seu faturamento e distribuição – N. do T.

Cenário Global III: *A Arrancada dos BRIC's*

Neste cenário fictício, os temores da China em relação à interrupção do fornecimento de energia para o país provocam uma disputa com a Índia. Com cada vez mais restrições energéticas até 2025, julgamos que as disputas por recursos têm potencial de levar a conflitos. O sentimento de vulnerabilidade é exacerbado pela diminuição do número de produtores de energia e da maior concentração em regiões instáveis, como o Oriente Médio. Um mundo no qual há mais confrontos sobre outros problemas – como novas barreiras comerciais – tende a aumentar o potencial de que qualquer disputa escale e deflagre conflitos. Conforme exemplificado neste cenário, percepções errôneas – juntamente com falhas de comunicação – podem exercer um papel tão importante como qualquer ameaça real. A concorrência das potências emergentes por recursos também está ilustrada neste cenário. Tanto a China como a Índia - apesar de ricas em carvão - têm reservas limitadas de petróleo e gás e dependem de fontes estrangeiras. Ao pensarmos sobre o maior potencial de conflito em um mundo multipolar, mantivemos em mente a possibilidade de as potências emergentes terem confrontos umas com as outras.

As pré-condições ilustradas neste cenário incluem:

- Um período contínuo de crescimento é desacelerado em função de os países enfrentarem escassez de energia e de recursos, o que é particularmente grave nas economias asiáticas.
- Ocorre um aumento dos sentimentos nacionalistas como resposta à intensa concorrência por energia em um mundo multipolar.
- Surge um equilíbrio de poder que lembra uma versão do século XXI dos anos anteriores a 1914.

BRAZIL

Carta do atual ministro do Exterior para o ex-presidente do Brasil

1 de fevereiro de 2021

Uma vez ouvi uma História – embora não saiba se é verdadeira ou não – que a Goldman Sachs resolveu acrescentar o Brasil ao agora famoso grupo de potências emergentes, ou BRICs. Diz o boato que eles precisavam de um quarto país, preferivelmente no hemisfério sul, uma vez que os outros ficavam no norte. Também ajudou o fato de "Brasil" começar com B.

Verdade ou não, o Brasil projetou-se demais nos últimos seis meses, fazendo feitos diplomáticos que nem mesmo os EUA conseguiriam nas atuais circunstâncias.

Deixe-me voltar ao início, mesmo que o senhor provavelmente conheça essa evolução. De fato, para se chegar à raiz do confronto sino-indiano, deve-se voltar ao momento anterior à cobertura dos acontecimentos pela imprensa. Vários pequenos incidentes levaram ao ataque chinês dos dois navios de guerra indianos no Golfo de Omã, o que, por sua vez, levou ao ataque dos EUA neutralizando os navios chineses quando estes tentavam se retirar da área.

Durante dois anos, os chineses observaram o que, do seu ponto de vista, era uma perigosa confluência de eventos que poderiam prejudicar sua economia e, portanto, sua sobrevivência política. Primeiro, os japoneses fizeram progresso considerável no sentido de aumentarem suas capacidades de controle marítimo em áreas oceânicas que pareciam promissoras para a produção de óleo e de gás.

Em segundo lugar, houve uma aceleração notável de modernização militar por parte dos indianos, bem como na tentativa de o país erodir a influência conquistada pela China no sudeste asiático, aumentando as capacidades da Índia em áreas através das quais gás e petróleo são transportados do Oriente Médio para a China. A China respondeu aumentando sua presença naval na região, estabelecendo direitos de base naval no Paquistão. Isso deixou claro que a estratégia de Pequim era deter quaisquer tentativas por parte da Índia de cortar o acesso marítimo às fontes de energia que abastecem a China, criando uma ameaça às rotas marítimas indianas. As tensões entre a Índia e a China aumentaram demais quando um submarino chinês desapareceu sem explicação enquanto monitorava um exercício naval indiano.

Em terceiro lugar, ao mesmo tempo em que esses desenvolvimentos tomavam forma, as relações sino-russas estavam se deteriorando, apesar da cooperação inicial na Organização de Cooperação de Xangai. Pequim detectou sinais de que a Rússia buscava minar as relações entre os chineses e os produtores de energia da Ásia Central. Isso pôs lenha na fogueira da insegurança energética chinesa. O fato de que as tecnologias alternativas de energia – carvão limpo, solar, eólica e geotérmica – não se materializaram, apesar dos pesados investimentos chineses e americanos, piorou a situação.

Como o senhor bem sabe, mesmo antes do incidente sino-indiano, houve um ou dois combates entre os chineses e os russos na região do extremo oriente russo. Se os chineses temiam o jogo duplo dos russos na Ásia Central, os russos estavam tão paranóicos quanto os chineses sobre o que Pequim estaria disposta na região do extremo oriente russo. A acusação russa de espionagem por um grupo de estudantes de Pequim e sua subseqüente prisão em Vladivostok ocasionaram, como o senhor se lembra, um espetacular esforço de resgate por parte dos chineses que humilhou completamente os russos. Alguns chamaram o episódio de um segundo Porto Arthur, referindo-se ao ataque japonês que afundou a frota russa em 1905*.

Finalmente, a competição estratégica por influência e acesso às áreas produtoras de energia que surgiram no Oriente Médio forneceram um novo motivo para a crescente rivalidade entre a China, a Índia e a Rússia. Conforme os EUA reduziam suas forças militares no Oriente Médio depois do seu envolvimento no Iraque, as outras grandes potências buscaram preencher o vácuo. Os países árabes do Golfo Pérsico em particular procuraram fortalecer seus relacionamentos com outras potências para compensar aquilo que perceberam como um enfraquecimento do compromisso de segurança dos EUA após o Iraque.

Entrementes, as tensões no Oriente Médio aumentavam conforme o Irã buscava exercer seu crescente poder. Uma crise surgiu depois de uma série de incidentes navais entre as marinhas iranianas e árabes no Golfo Pérsico e da ameaça iraniana de fechar o acesso do Golfo a todas as forças navais de fora da região, exceto as potências "amigas". Em resposta, os EUA introduziram novas sanções econômicas contra Teerã e procuraram liderar um embargo de embarque de armas para o Irã. Teerã, por sua vez, ameaçou interromper o tráfego de petroleiros no Golfo, se Washington não voltasse atrás.

A pressão dos EUA sobre os chineses, indianos e outros para que estes rejeitassem o comércio com os iranianos foi intenso. Pequim, temendo a interrupção do seu fornecimento de energia, procurou jogar dos dois lados, mantendo boas relações com os sauditas, ao mesmo tempo em que prometia apoio ao Irã. A China tinha feito, há anos, uma reserva estratégica, mas ela iria durar apenas pouco tempo, e a incerteza sobre o que aconteceria nos meses seguintes colocava pressão política sobre o governo. Nova Déli também procurou suavizar sua resposta observando sua necessidade de gás natural do Irã, mas também mantendo seu bom relacionamento com os EUA e com os países árabes.

---

* A Batalha de Port Arthur, em 1904, foi deflagrada pelo ataque surpresa de destróieres japoneses à frota russa ancorada nessa baía, na Manchúria. O episódio deu início à guerra russo-japonesa. Embora o texto afirme que o ataque "afundou" a frota russa, a batalha foi, de fato, inconclusiva – N. do T.

continua...

Como resultado, a Índia declinou de participar das sanções econômicas que teriam um efeito maior sobre os cidadãos iranianos, mas concordou em ajudar os EUA a forçar um embargo de armas ao Irã.

Como o senhor pode observar, esses acontecimentos montaram o cenário para o incidente marítimo. Os nervos dos chineses estavam à flor da pele, apesar de estarem muito confiantes após os acontecimentos na região do extremo oriente russo. A tentativa indiana de parar um navio chinês o qual acreditavam transportar novos mísseis antinavios para o Irã foi repelido pelas forças navais chinesas na área. Os chineses viram os navios de guerra indianos como representando os EUA. O ataque dos EUA confirmou isto. A crise original no Oriente Médio – que realmente voltou os EUA e a Europa contra o Irã – foi, de repente, transformado em uma séria crise global.

Felizmente, nas duas últimas semanas, ao contrário de 1914, todas as potências voltaram atrás. Mas o petróleo custa agora mais de 300 dólares o barril, e as bolsas de valores estão desabando em todos os lugares. Isto me traz para o ângulo brasileiro. Somos o único país de alguma estatura que tem a confiança de todos os outros. Até mesmo os europeus foram desacreditados por conta do seu apoio aos EUA na crise iraniana. A China estava desesperada para encontrar um caminho que a levasse a sair de uma posição terrível, se um conflito de grande escala com os indianos e os americanos tivesse acontecido. Os EUA também queriam encontrar um modo de se livrarem do impasse, uma vez que os únicos vitoriosos seriam os iranianos e, até certo ponto, os russos, que estavam em cima do muro, recebendo uma fortuna pelos elevados preços de energia. Vale lembrar que nosso desenvolvimento contínuo de biocombustíveis de uma forma responsável aumentou ainda mais nossa credibilidade.

Durante as negociações, tentei fazer mais do que procurar com que todos os lados recuassem e pagassem compensações uns aos outros pelos danos às suas frotas navais. A China precisa ter certeza de que o fluxo de energia irá continuar através do Golfo – ao menos quando a situação estiver regularizada.

Não estou certo de que eu tive sucesso em estabelecer confiança mútua entre os envolvidos. Sinto que os militares dos três países – EUA, China e Índia – usarão o incidente para provocar uma maior militarização da segurança de energia. Podemos testemunhar uma nova corrida armamentista naval. Na China, o governo ainda teme a reação pública por causa da humilhação sofrida pelo ataque dos EUA. Claro, no momento os EUA são o alvo da ira nacionalista – a nova embaixada americana está em ruínas. Os iranianos concordaram, particularmente porque os EUA e seus parceiros europeus fizeram algumas concessões, em restabelecer o fluxo de petróleo no Golfo e a diluir a crise entre a China e a Índia.

Eu disse aos três – os EUA, a Índia e a China – que a próxima rodada de conversações seria aqui no Rio. Espero que uma atmosfera mais agradável tenha um bom efeito. Afinal, o carnaval carioca já está quase aí...

CAPÍTULO 6

O Sistema Internacional Estará Apto a Enfrentar os Desafios?

A tendência em direção à maior difusão de autoridade e de poder que está ocorrendo há cerca de duas décadas deve acelerar, por causa do surgimento de novos jogadores globais, do maior número de instituições ineficientes, do crescimento de blocos regionais, do avanço das tecnologias de comunicação e do aumento da força de atores e redes de trabalho que não são Estados.

- Por volta de 2025, Estados-nações não serão mais os únicos – e quase sempre os mais importantes – atores no palco mundial, e o "sistema internacional" terá mudado para acomodar a nova realidade. Mas a transformação será incompleta e desigual. Apesar de os Estados irão desaparecerem da cena internacional, o ***poder relativo*** de vários atores que não são Estados – entre os quais segmentos de negócios, tribos, organizações religiosas e até mesmo redes criminosas – irá aumentar, conforme tais grupos influenciam as decisões sobre uma gama cada vez maior de temas sociais, econômicos e políticos.

A crescente multiplicidade de atores pode fortalecer o sistema internacional ao preencher os espaços deixados pelas envelhecidas instituições estabelecidas após a Segunda Guerra Mundial, mas também tem o potencial de fragmentar ainda mais o sistema existente e de prejudicar a cooperação internacional. A diversidade dos dois tipos de atores aumenta a tendência de fragmentação nas próximas duas décadas devido à habilidade aparentemente menor das instituições internacionais de resolverem novos desafios transnacionais.

Multipolaridade sem multilateralismo

Em tal mundo, não deveremos testemunhar uma abordagem da governança global de múltiplos arcos, inclusiva e unitária. As tendências atuais sugerem que a governança global em 2025 será uma colcha de retalhos de esforços que se sobrepõem quase sempre de forma particular e fragmentária, com coalizões de países-membros que mudam continuamente, organizações internacionais, movimentos sociais, ONGs, fundações filantrópicas e empresas.

- Essa fragmentação de atores e de interesses erode as perspectivas da ONU de fortalecer o consenso entre seus membros para ações multilaterais efetivas – particularmente dentro do atual ou de um Conselho de Segurança maior – ou para a execução de grandes reformas no sistema da ONU.
- Tal multipolaridade também deve incluir um único país dominante com grande poder e legitimidade para atuar como agente da reforma institucional.[45]

A maioria dos grandes problemas transnacionais – inclusive os relacionados à mudança climática, a regulamentação dos mercados financeiros globalizados, migração, Estados falidos, redes criminosas, etc. – não tendem a ser resolvidos de forma eficiente pelas ações individuais dos Estados. A necessidade de governança global efetiva aumentará mais rapidamente do que a capacidade de resposta dos mecanismos existentes. Os líderes buscarão abordagens alternativas para resolver os problemas transnacionais – com novas instituições, ou mais provavelmente, muitos grupos informais. As recentes tendências sugerem que as instituições multilaterais existentes – as quais são grandes e ineficientes – terão dificuldade de se adaptarem com rapidez suficiente para empreenderem novas missões, acomodar novos membros e obter os recursos necessários. As ONGs e fundações filantrópicas – concentradas

45. Veja abaixo a discussão sobre o papel dos EUA.

em temas específicos - serão cada vez mais parte da paisagem, mas tendem a ser limitadas na sua capacidade de efetuarem mudanças na falta de esforços concentrados por parte das instituições multilaterais ou governos.

A procura por maior inclusão - para refletir a emergência de novas potências - pode tornar difícil a administração dos desafios transnacionais por parte das organizações internacionais. O respeito pela visão dissidente dos países membros continuará a moldar a agenda das organizações e a limitar as soluções possíveis. Grandes organizações e organizações que se tornam maiores - da Assembléia Geral da ONU à OTAN e à UE - podem julgar os desafios particularmente difíceis. Não tende a haver qualquer esforço para "zerar" a estrutura organizacional internacional de modo que algumas organizações desapareçam ou sejam reinventadas.

A ação eficiente também pode ser prejudicada pela existência de instituições demais - muitas das quais perderam seu propósito - com legitimidade e eficiência limitadas. Isso tende a se aplicar às instituições de orientação ocidental e àquelas do Terceiro Mundo histórico.

Nós prevemos que corridas armamentistas, expansão territorial e rivalidades militares que caracterizaram a multipolaridade do final do século XIX serão menos significativas, mas não descartamos tais possibilidades. Para a maioria dos países, as rivalidades estratégicas tendem a girar em torno do comércio, investimento, inovação e aquisição de tecnologias. No entanto, as crescentes preocupações com recursos - como energia e até mesmo água - podem facilmente concentrar o foco nas disputas territoriais ou nos problemas fronteiriços sem solução.

A Ásia é uma região onde o problema de fronteiras é particularmente crítico, ou, no caso da Ásia Central, onde grandes depósitos de recursos energéticos aumentam o potencial da repetição do "Grande Jogo" do século XIX, com países exteriores concorrendo pelo direito exclusivo de controlar o acesso ao mercado. O fato de que diversos países podem sofrer um grande declínio do poder nacional, se as alternativas para os combustíveis fósseis forem desenvolvidas rapidamente, traz um risco de instabilidade potencialmente perigoso.

Conforme o poder nacional da China, da Índia e de outros cresce, países menores da vizinhança podem procurar proteção ou intervenção de países de fora da região em um esforço de equilíbrio.

Quantos Sistemas Internacionais?

As potências emergentes, particularmente a China e a Índia, compartilham o interesse de manter uma ordem estável e aberta, mas abraçam "meios" diferentes. O espetacular sucesso econômico foi conquistado com um modelo econômico antagônico à tradicional receita *laissez faire* ocidental de desenvolvimento econômico. Como vimos, a mudança climática e as necessidades de energia e de outros recursos tendem a ser mais problemáticas para o que muitos vêem como sua meta primária de desenvolvimento econômico contínuo. Devido a essas diferentes perspectivas, surge a questão sobre se os novos jogadores – e suas abordagens alternativas – podem ser fundidas às ocidentais tradicionais para formar um sistema internacional coeso capaz de lidar com o crescente número de temas transnacionais.

Apesar de compartilhar uma visão mais centrada no Estado, os interesses nacionais das potências emergentes são bastante diversos e sua dependência da globalização tão urgente a ponto de indicar poucas chances da formação de um bloco alternativo entre elas para confrontar diretamente a ordem ocidental mais estabelecida. As organizações internacionais existentes – tais como a ONU, OIC, FMI e o Banco Mundial – podem se mostrar eficientes e se adaptarem para acomodar as percepções das potências emergentes, mas se as potências emergentes receberão – ou irão desejar – poder e responsabilidades adicionais é uma questão a parte. De fato, algumas ou todas as potências emergentes podem se contentar em receber vantagens das instituições em assumir os encargos da liderança relativos ao seu status. Ao mesmo tempo, sua participação como membros dessas instituições não necessariamente tem de envolver responsabilidades pesadas, permitindo que esses países continuem a perseguir suas metas de desenvolvimento econômico. Para alguns, o fato de o acordo sobre novos membros do conselho de Segurança parecer remoto nos próximos 15-20 anos fornece uma desculpa adicional para postergar um papel global que poderia ser assumido à custa do cumprimento de metas domésticas. Uma grande incerteza é se existirá vontade política para reformular o sistema internacional para oferecer às potências emergentes responsabilidades para que elas assumam mais encargos globais.

Maior regionalismo – mais ou menos para a governança global?

Uma exceção à tendência de maior multipolaridade com menos multilateralismo pode ocorrer em nível regional na Ásia. A maior integração asiática, se acontecer, pode preencher o vácuo deixado por uma ordem internacional baseada em uma multilateridade enfraquecida, mas também poderia colaborar para minar ainda mais essa ordem. Na esteira da crise financeira asiática de 1997, uma série de empreendimentos pan-asiáticos – sendo o mais significativo o ASEAN + 3* – começou a se enraizar. Embora poucos acreditem que uma contrapartida asiática da UE irá ocorrer até 2025, se 1997 for considerado um ponto inicial, a Ásia evoluiu mais rapidamente nos últimos dez anos do que a União Européia em sua(s) primeira(s) década(s). Em termos econômicos, jogadores extra-regionais, como os EUA, continuarão a ser uma parte significativa da equação econômica asiática em 2025. No entanto, a tendência nos próximos 15 anos de haver uma cesta de moedas asiáticas – se não uma unidade monetária asiática como terceira reserva – é uma possibilidade mais do que teórica.

- Esse desenvolvimento seria em parte um esforço dos asiáticos para se isolarem da volatibilidade fora da sua região, para facilitar a integração econômica e para conseguir maior representatividade na mesa de negociações global.
- Entre os aspectos difíceis de se quantificar relativos ao regionalismo asiático, estão os hábitos de cooperação, confiança, freqüência de encontros de funcionários de alto escalão e a difusão cultural que está diminuindo as diferenças políticas e históricas e está gerando um novo sentido de comunidade.

O regionalismo asiático teria implicações globais, possivelmente estabelecendo ou reforçando uma tendência de três centros financeiros e comerciais que poderiam se tornar quase blocos (América do Norte, Europa e Ásia Oriental).

O estabelecimento desses quase blocos também teria implicações à capacidade de se conquistar futuros acordos na organização Mundial de Comércio, e os centros regionais

* Os países da Associação das Nações do Sudeste Asiático mais a Japão, a China e a Coréia do Sul – N. do T.

continua...

poderiam competir para estabelecer padrões de produtos trans-regionais para tecnologia de informação, biotecnologia, nanotecnologia, direitos de propriedade intelectual e outros produtos da "nova economia".

A posição regional assumida pela Ásia em relação à energia pode ditar os termos para o resto do mundo. Cerca de dois terços das exportações de petróleo do Oriente Médio vão para a Ásia, e cerca de 70% das importações da Ásia vêm do Oriente Médio. Esse padrão tende a se intensificar. Se essa lógica é basicamente comercial – investimentos complementares e vendas militares – ou se cada vez mais adquire caráter político/estratégico são questões que podem determinar a característica do sistema internacional.

- Conforme colocado, no pior dos casos – na ausência de maior cooperação regional – a preocupação sobre a manutenção das rotas marítimas para garantir o suprimento de petróleo poderia levar a China, o Japão e a Índia a uma corrida armamentista naval.

Os desenvolvimentos na área de segurança – onde a integração asiática está, atualmente, mais fraca e onde as tendências em direção à competição e ao isolamento persistem – podem diluir o regionalismo. As questões sobre como a Coréia será reunificada e o status de seu programa nuclear e sobre se o relacionamento de Taiwan com a China será resolvido de forma pacífica ou não será fatores-chave a moldar a dinâmica regional. As atuais tendências sugerem que as preocupações tradicionais sobre segurança estão diminuindo em importância, mas podem ser substituídas por novos problemas, como competição por recursos. O gerenciamento e adaptação à reunificação da Coréia pode expandir as negociações do Partido dos Seis** e incluir novos níveis de cooperação entre os EUA, o Japão e a China.

O grau maior ou menor de integração também dependerá do futuro caráter da relação entre a China e o Japão. Esta é a primeira vez na História moderna que a China e o Japão são importantes atores regionais e globais ao mesmo tempo. Uma questão-chave é se conseguirão transcender as suspeitas históricas e competir pacificamente. A solução pacífica das disputas da Coréia e de Taiwan e um tratado do tipo teuto-francês entre a China e o Japão diminuiria demais o desejo regional de ter os EUA como contrapeso "estrangeiro". Entretanto, os aliados dos EUA e seus parceiros regionais nas questões de segurança não trocarão papel de contrapeso dos EUA por qualquer arranjo regional de segurança até que as conseqüências políticas e econômicas da ascensão da China sejam melhor compreendidas.

** Six-Party é o nome como ficaram conhecidos os seis países – China, Coréia do Norte, Coréia do Sul, Japão, EUA e Rússia – que desde 2003 têm se reunido para discutir uma solução pacífica para a crise de segurança colocada pelo programa nuclear da Coréia do Norte – N. do T.

"Muitos especialistas... não esperam que as potências emergentes desafiem ou alterem radicalmente o sistema internacional..."

Muitos especialistas – americanos e estrangeiros – que consultamos não esperam que as potências emergentes desafiem ou alterem radicalmente o sistema internacional, como fizeram a Alemanha e o Japão no século XIX e início do século XX. As potências emergentes terão um alto grau de liberdade para "customizar" suas políticas econômicas e orientação política em lugar de adotar completamente as normas ocidentais. Por causa da sua crescente influência geopolítica, mercados domésticos e papéis na extração de recursos globais, manufatura, finanças e tecnologia, as potências emergentes também tendem a querer preservar sua liberdade política para manobrar e irão querer que outros países arquem com a responsabilidade de enfrentar os desafios globais como terrorismo, mudança climática, proliferação e segurança energética. O nacionalismo de recursos da Rússia e da China e o capitalismo de Estado embasam, por exemplo, sua política de elite e limitam sua vontade de se comprometer com os grandes temas econômicos internacionais, como comércio, energia, finança ou mudança climática.

- Outros, como a Índia, não têm visões econômicas e políticas estratégicas e não possuem apoio doméstico de base para uma liberalização econômica profunda. Muitos problemas globais exigem sacrifícios ou mudanças abruptas nos planos de desenvolvimento desses países, outro motivo para eles preferirem ficarem de lado em lugar de se tornarem líderes em um sistema multilateral.

Um mundo de redes de trabalho

Em resposta aos prováveis déficits de governança global, redes de trabalho enfocadas em problemas específicos se formarão entre países e atores que não são Estados. Essas redes de trabalho operarão em prol de interesses e metas convergentes, com intenção genuína de resolver problemas, com interesse em negócios, e o desejo de que as ONGs e organizações internacionais sejam relevantes na solução dos problemas que o mundo em mudança enfrenta. Em alguns casos, o núcleo de uma rede de trabalho será uma comissão de especialistas nacional ou internacional - sem terem sido eleitos, mas com influência substancial - para relatar ou supervisionar alguns aspectos da governança, comércio ou outros temas. Entre os exemplos atuais dessas redes de trabalho citamos o Fórum de Estabilidade Financeira, o Fórum da Liderança de Seqüestro de Carbono e a Parceria Internacional pela Economia de Hidrogênio.

Grupos de problemas deverão ajudar a desenvolver e a difundir padrões e regulamentações para diversas áreas, como tecnologia de informação, regimes regulatórios e gestão da "nova economia pós-industrial". Para alguns temas, as redes de trabalho tenderão a fornecer a base para acordos entre os países. Com o trabalho de base realizado em um contexto informal, os países/Estados poderão adotar medidas para a solução de problemas e adquirir legitimidade, às vezes até mesmo recebendo o crédito pelas iniciativas, ao mesmo tempo em que evitam o estigma de soluções impostas por organizações internacionais externas. O número e tipo de ONGs podem explodir em 2025. Baixos custos de entrada, baixos custos de salários e a capacidade de indivíduos ou de grupos de se afiliarem uns aos outros via Internet irá facilitar essa tendência.

Além desses grupos de estudos de problemas, um novo tipo de atores sociais - indivíduos super poderosos e até mesmo redes criminosas - irão cada vez mais influenciar os resultados. Essas elites têm seu poder projetado pela sua riqueza e uma gama de contatos nacionais e transnacionais - quase sempre transpondo empresas, governos, organizações internacionais e ONGs. Ao usar seus influentes contatos e múltiplas identidades nacionais, eles ajudam a equilibrar os resultados "transnacionais" ao longo das fronteiras nacionais e organizacionais.

"Embora os grupos religiosos tenham sido um dos grandes beneficiários da globalização, a religião também tem o potencial de ser um veículo de oposição a tal processo modernizante."

Um papel mais proeminente para a região. Redes religiosas podem ser também redes de estudo e solução de problemas e podem assumir um papel mais poderoso do que os grupos seculares transnacionais no exercício de influência e na formatação de resoluções no período até 2025. De fato, podemos entrar em uma nova era de liderança clerical na qual os líderes religiosos terão grande peso na solução de disputas e conflitos internacionais.

- Esses empreendedores religiosos e tele-evangelistas nos dois hemisférios – como Amir Khaled para os muçulmanos e Matthew Ashimolowo ou Sunday Adelaja para os cristãos[46] – já amealham grandes recompensas em termos de poder e influência. O website de Khalede é o terceiro website arábico mais popular do mundo (o da Al-Jazeera é o primeiro).

Dentro da tradição cristã, a emergência de um padrão completamente novo de autoridade e de liderança no hemisfério sul compreende ministros e empreendedores religiosos autônomos, cujas atividades garantem grande status e riqueza. Antes de 2025, alguns evangelistas e pregadores de mega-igrejas irão provavelmente procurar se tornar líderes de nações, especialmente naqueles países economicamente devastados.

Embora os grupos religiosos tenham sido um dos grandes beneficiários da globalização, a religião também tem o potencial de ser um veículo de oposição a tal processo modernizante. As estruturas religiosas podem canalizar protestos sociais e políticos, especialmente para aqueles que não têm os meios de comunicação e a influência disponíveis para as elites. Isto é relevante, pois muitas das tendências econômicas que irão dominar ao longo das duas próximas décadas têm potencial para causar fragmentação social e ressentimento popular, entre eles o maior desnível entre ricos e pobres, os golfos urbanos e rurais na Índia e na China, as grandes disparidades entre nações e regiões avançadas e outras

46. O nigeriano Matthew Ashimolowo é pastor do Kingsway International Christian Centre, radialista e apresentador de TV, com programas transmitidos na Inglaterra, Holanda e alguns países da África; e Sunday Adelaja é pastor nigeriano, fundador da igreja Embaixada Carismática de Deus, em Kiev, Ucrânia – N. do T.

Identidades em proliferação e intolerância crescente?

Um aspecto da crescente complexidade do sistema internacional é que nenhuma identidade política singular – como a união da cidadania e da nacionalidade – deve ser dominante na maioria das sociedades em 2025. As lutas de classe terão um peso igual ao da religião e da etnia. A Internet e outras multi-mídias permitirão a revitalização da influência de tribos, clãs e outras comunidades orientadas pela lealdade. A urbanização explosiva irá facilitar a disseminação dessas identidades e aumentar a tendência de embates entre grupos. O maior número de migrantes que se mudam para as cidades das áreas rurais irão se unir nas vizinhanças estabelecidas por levas anteriores da mesma etnia ou se verão como foco do recrutamento por parte de gangues e de estruturas criminosas mais complexas. Conforme essas comunidades se unem e se tornam "auto-governadas", ou às vezes cooptadas por grupos do crime organizado, o Estado e os governos locais enfrentarão áreas de "entrada proibida" em muitas das grandes cidades, como já acontece em cidades como São Paulo e Rio de Janeiro.

Apesar de que as camadas de identidade herdadas e escolhidas serão tão "autenticas" como as categorias convencionais de cidadania e de nacionalidade, uma categoria possivelmente continuará a se destacar. O Islã continuará a ser uma identidade robusta. Diferenças sectárias e outras dentro do Islã serão uma fonte de tensão ou de conflito. O desafio do ativismo islâmico pode produzir um retrocesso mais intenso do que o ativismo cristão. A Nigéria, a Etiópia e outros lugares da África continuarão a ser campos de batalha desta guerra sectária. Em 2025, noções de integração multi-étnica e o valor da "diversidade" podem enfrentar uma combinação de desafios por parte dos nacionalistas, zelotes religiosos e talvez de alguma versão de marxismo redivivo e outras ideologias seculares ou de classe.

que ficaram para trás no processo de modernização e entre Estados capazes de gerir as conseqüências da globalização e aqueles cujos governos não são capazes disto. Os ativistas religiosos podem se basear em textos sagrados e na longa tradição histórica para explorar os descontentamentos populares lançando mão da retórica da injustiça social e igualitarismo.

Se o crescimento econômico global sofrer um sério revés – semelhante à crise indonésia do final dos anos 1990, mas em escala mundial – insurgências religiosas originadas no campo e lutas étnicas poderiam provavelmente acontecer em países como o Brasil, a Índia, a China e grande parte da África. Se as

O futuro da democracia: retrocedendo mais do que qualquer outra onda

Continuamos otimistas quanto às perspectivas de longo prazo para uma maior democratização, mas os avanços tendem a desacelerar e a globalização irá sujeitar muitos países recentemente democratizados a sofrerem cada vez mais pressões sociais e econômicas que podem prejudicar as instituições liberais.

- Ironicamente, problemas econômicos podem melhorar as perspectivas de um movimento rumo ao pluralismo e à maior democratização da China e da Rússia. A legitimidade do Partido Comunista Chinês se escora cada vez mais na sua capacidade de garantir riqueza material para a sociedade chinesa. O ressentimento quanto à corrupção da elite já é forte, mas pode derrubar o regime no caso de uma séria crise econômica. O governo russo também seria desafiado, caso os padrões de vida caiam de forma dramática.
- Em outros lugares, os levantamentos mostraram que a democracia se enraizou, particularmente na África ao sul do Saara e na América Latina, onde se percebe que a democracia independe de quaisquer benefícios econômicos. Mesmo assim, historicamente, as democracias nascentes se mostram instáveis na medida em que lhes faltam fortes instituições liberais - especialmente a aplicação da lei - que podem ajudar a apoiar a democracia durante as reviravoltas econômicas. Estudos de casos sugerem que a corrupção desenfreada é especialmente ameaçadora porque prejudica a confiança nas instituições democráticas.
- Conforme sugerimos anteriormente, a boa performance econômica de muitos governos autoritários pode semear dúvidas entre alguns em relação à democracia ser a melhor forma de governo. As pesquisas que consultamos indicam que muitos asiáticos orientais dão mais valor à boa gestão, o que inclui melhores padrões de vida, do que à democracia.
- Em outros lugares, até mesmo nas democracias bem estabelecidas, as pesquisas indicam grande frustração em relação ao funcionamento do governo democrático e mostram questionamento por parte das elites sobre a capacidade dos governos democráticos tomarem a ação necessária para responder rápida e eficientemente ao número cada vez maior de desafios transnacionais.

projeções de severidade moderada da mudança climática estiverem corretas, o impacto poderia inflamar conflitos religiosos em grandes áreas da África e da Ásia. Entre os países de maior risco de irrupção desses conflitos estão diversos países predominantemente muçulmanos com minorias cristãs significativas (Egito, Indonésia e Sudão) e Estados predominantemente cristãos com minorias muçulmanas substanciais (por exemplo, a República Democrática do Congo, Filipinas e Uganda), ou aqueles com populações cristãs e muçulmanas equilibradas (Etiópia, Nigéria e Tanzânia).

Se as estruturas religiosas oferecerem veículos para resistir à globalização, elas também ajudam as pessoas a colaborar com essas mesmas forças, aumentando a estabilidade social e o desenvolvimento econômico. Sem a rede de segurança fornecida pelas religiões, o grau de caos e de fragmentação dos países em desenvolvimento seria muito pior. Conforme as sociedades predominantemente rurais vêm se tornando mais urbanas nos últimos 30-40 anos, milhões de migrantes são atraídos pelos centros urbanos sem recursos ou infra-estrutura para fornecer cuidados médicos, bem estar social e educação adequados. O sistema social alternativo proposto pelas organizações religiosas tem sido um potente fator na conquista do apoio das massas para a religião. Isso vale para todas as fés.

Quanto mais fraco o Estado e seus mecanismos, mais críticos os papeis das instituições religiosas e mais forte o apelo das ideologias religiosas, normalmente de natureza fundamentalista ou teocrática.

Um sistema internacional "sombra" em 2025? A fragmentação do sistema internacional é uma séria ameaça colocada pelas redes criminosas transnacionais que cada vez mais se imiscuem no gerenciamento dos recursos mundiais – especialmente os de energia, de minérios e outros mercados estratégicos –, além do seu envolvimento tradicional no tráfico internacional de narcóticos. A maior demanda de energia em todo o mundo fornece oportunidades para os criminosos expandirem suas atividades por meio do relacionamento direto com os fornecedores e líderes dos países onde tais recursos se localizam. Com as fontes de energia concentradas cada vez mais em países de fraca governança, prática de corrupção e ausência do exercício da lei, o potencial para a penetração de organizações criminosas é muito elevado.

- As atividades ilícitas do crime organizado no setor de energia fornecem às empresas afiliadas uma vantagem competitiva desleal para atuar no mercado mundial de energia.
- Com o tempo, devido aos tentáculos de longo alcance dentro dos órgãos governamentais e dos corpos diretores das corporações, os criminosos podem ficar em posição de controlar países, influenciar as direções dos mercados e até mesmo de influenciar as políticas internacionais. Para muitos países ricos em recursos energéticos, as receitas provenientes da venda de energia são a base de toda economia e as políticas energéticas são uma consideração-chave nas decisões sobre política internacional.
- A tendência da penetração de redes criminosas nos governos, instituições e corporações é provavelmente maior nos mercados da Eurásia, onde o crime organizado tem sido uma parte institucionalizada do ambiente político e econômico e onde, com o tempo, figuras do crime organizado alcançaram posições empresariais influentes e se tornaram parceiros valiosos para funcionários corruptos.
- Acreditamos que, conforme os fornecedores russos e eurasianos conquistam porções cada vez maiores dos mercados de energia da Europa e da Ásia, as redes de crime organizado irão expandir suas operações e manipularão as políticas externas em vantagem própria.

Cenário global IV: *Nem Sempre a Política é Local*

Neste cenário fictício, um novo mundo emerge, onde as nações-Estados não mais detêm o controle da agenda internacional. A dispersão do poder e da autoridade das nações-Estados impulsionou o crescimento de entidades sub-nacionais e trans-nacionais, que também incluem movimentos sociais e políticos. A crescente preocupação do público em relação à degradação ambiental e à falta de ação do governo se unem neste exemplo para "conferir poder" a uma rede de ativistas políticos para conseguir tirar o controle dos problemas das mãos dos funcionários governamentais. As tecnologias de comunicação globais permitem que os indivíduos se afiliem diretamente a grupos orientados pela identidade e redes que transcendem as fronteiras geográficas. O ambientalismo é um tema para o qual há grande confluência de interesses e desejos.

As pré-condições para este cenário incluem:

- A relevância e o poder dos governos nacionais diminuem em um mundo cada vez mais descentralizado.
- Diásporas, sindicatos, ONGs, grupos étnicos, organizações religiosas e outras adquirem poder significativo e estabelecem relações formais e informais com os Estados.
- As tecnologias de comunicação permitem integração ubíqua e constante nas redes de identidade.

FT .com
FINANCIAL TIMES

Nem Sempre a Política é Local

14 de setembro de 2024

Estamos em uma nova era na qual os governos não são mais os reis. Todos nós, comentaristas, discutimos muito sobre o fim da era westphaliana*, mas nunca acreditamos nisso de fato. Além do mais, era mais difícil abordarmos atores que não são Estados do que reportar sobre os ministérios governamentais com suas sólidas fundações de granito e colunatas. Agora temos de reconhecer a nova força dessas redes informais. Ao contrário dos governos, elas conseguiram realizar muito. Mostraram que realmente fazem diferença. Estou falando sobre o novo tratado sobre mudança climática recentemente firmado – até mesmo antes da expiração do anterior –, o qual estabeleceu tetos rigorosos para as emissões de carbono e estabeleceu programas globais de energia renovável e novas tecnologias para enfrentarem os problemas de abastecimento de água cada vez mais graves.

É claro, não há apenas uma rede e talvez este seja o segredo. Lá não estavam somente vários grupos nacionais, mas muitas das redes responsáveis por forçar as negociações sobre a mudança climática que reúnem grupos profissionais, ONGs e grupos religiosos de todas as nações, classes e culturas. O forte emprego da Internet da próxima geração (informática ubíqua), embora feita por motivos comerciais, facilitou demais a projeção desses grupos de interesse que não são Estados.

Isto provavelmente não teria acontecido não fossem vários desastres ambientais. O furacão de Nova York foi o primeiro. Foi importante o fenômeno ter acontecido durante a Assembléia Geral das Nações Unidas, da qual muitas dessas redes e grupos iriam participar. O furacão facilitou a coalizão. Entretanto, não teria acontecido sem outros eventos, como o ciclone que devastou Bangladesh no ano passado e o recente relatório do Painel Intergovernamental sobre a Mudança Climática, o IPCC conforme sigla em inglês, mostrando níveis de CO2 muito maiores do esperado, apesar dos cortes. Uma atmosfera de crise se formou. De fato, foi um desses momentos na História no qual uma atmosfera apocalíptica impera – como se o fim do mundo estivesse próximo – e ações imediatas faziam-se necessárias.

De certa forma, chegamos à Terra Prometida na qual a cooperação global é mais do que uma "conspiração" entre as elites, extravasando através das divisões históricas nacionais e culturais. Esperávamos que a liderança viesse da União Européia, mas isso nunca aconteceu. Todos mantiveram seus pontos de vista paroquiais, falando em primeiro lugar como franceses, ou poloneses, mas não como europeus.

Muito disso pode ser atribuído à ascensão das classes médias da Rússia, da China e da Índia. Como seus contratipos ocidentais antes delas, nos séculos XIX e XX, elas são ricas

continua...

o bastante para denunciar os problemas de saúde associados à poluição e ao rápido crescimento. Elas queriam que seus governos tomassem providências, mas eles não tomaram. As classes médias foram inflamadas pela construção fraca e planejamento pobre que levou ao grande número de mortes quando os desastres ocorreram. O ambientalismo e esforços anti-corrupção se fundiram. Conforme os pobres da região africana ao sul do Saara e em outros lugares sofriam cada vez mais por conta da mudança climática, ativistas religiosos também se mobilizaram. Migrantes deixaram para trás terras improdutivas e, incapazes de obter tecnologias de água limpa, voltaram-se para as Igrejas em busca de ajuda.

As instituições foram mais hábeis do que os governos na detecção da mudança. A reunião anual de Davos foi transformada há muitos anos. Ela convocou uma série de ativistas dessas redes e desde então estabeleceu reuniões virtuais para permitir que milhares de outras também participassem. As pressões eram demais para que os países membros ignorassem. A Assembléia Geral da ONU disponibilizou 20 cadeiras para ONGs que anualmente concorrem entre elas para assumir uma cadeira durante um ano e ter os mesmos direitos de voto que as nações-Estados. A política internacional mudou para sempre, mesmo apesar de eu pessoalmente duvidar que essas redes possam ser eficientes na resolução de outros problemas. O problema ambiental veio sob medida, por conta de ser de interesse comum a todos evitar o fim do mundo. Em outra época, ou com um problema diferente, creio que as diferenças nacionais, religiosas, étnicas e de classe iriam despontar. Mas as realizações foram conquistadas e o precedente estabelecido tornará difícil para os governos ignorarem as ONGs. Talvez comecem até mesmo a ser parceiros delas.

CAPÍTULO 7

Divisão de Poder em um Mundo Multipolar

Os EUA terão mais impacto na evolução do sistema internacional nos próximos 15-20 anos do que qualquer outro ator, mas terão menos poder em um mundo multipolar do que já tiveram em muitas décadas. Devido ao relativo declínio da sua economia e, em menor grau, de seu poderio militar, os EUA não terão mais a mesma flexibilidade de escolha entre muitas opções políticas. Acreditamos que o desejo e o interesse de os EUA manterem o papel de líder possa diminuir conforme os custos econômicos, militares e de oportunidade para manterem a posição forem calculados pelos eleitores americanos. Em particular, os custos econômicos e de oportunidade podem fazer com que o público americano favoreça novas tendências.

Os desenvolvimentos no resto do mundo, inclusive os desenvolvimentos internos em vários países-chave – particularmente na China e na Rússia – também tendem a ser determinantes cruciais da política americana. Um mundo com relativamente poucos conflitos com outras grandes potências abriria caminho para o desenvolvimento de um sistema multipolar no qual os EUA serão os "primeiros" entre iguais. No final, os eventos irão configurar os parâmetros da política internacional americana. Algumas contingências – como o uso de armas nucleares ou de destruição em massa por terroristas – podem causar a convulsão de todo o sistema internacional e dirigir o enfoque de novo para o papel dos EUA.

A demanda pela liderança americana deverá permanecer forte, capacidades irão diminuir

Apesar do aumento do antiamericanismo na última década, os EUA ainda tendem a continuar a ser visto como um equilibrador regional no Oriente Médio e na Ásia. Uma recente pesquisa[47] indica crescente descontentamento em relação à ascensão da China por parte de seus vizinhos e, em muitas regiões, uma diminuição do antagonismo, se não uma melhor atitude, em relação aos EUA. Além do seu crescente poder econômico, o programa de modernização militar da China é uma fonte de preocupações entre seus vizinhos. O nível de preocupação pode aumentar até mesmo se a segurança na Ásia melhorar, por exemplo, com uma acomodação entre a República Popular da China e Taiwan, embora em tal eventualidade a reação oposta também seja possível. No Oriente Médio, um Irã nuclear aumentaria a pressão para a extensão do guarda-chuva de segurança dos EUA a Israel e outros países.

Os desenvolvimentos no resto do mundo, inclusive os desenvolvimentos internos em vários países-chave - particularmente na China e na Rússia - também tendem a ser determinantes cruciais da política americana

Outros países continuarão a procurar a liderança dos EUA em novos problemas de "segurança", como a mudança climática. Por exemplo, muitos países vêem a liderança americana como crítica para as potências emergentes, como a China e a Índia que são emissores de gases causadores do efeito estufa, a se comprometerem mais seriamente em um regime de controle de emissões pós 2012[48]. A maior parte dos países do G-77[49] percebem que estão absorvendo o prejuízo ambiental dos poluidores e não são contrários a intervenção americana junto a Pequim.

47. Veja Box nas páginas 185-187.
48. Data em que expira o Protocolo de Kyoto e que deverá entrar em vigor um novo acordo que regulamente as emissões de gases causadores do efeito estufa - N. do T.
49. Coalizão de países em desenvolvimento que buscam promover os interesses econômicos de seus membros e ter peso de negociação na ONU - N. do T.

Além disso, outros países buscarão a liderança americana sobre a contenção das armas de destruição em massa (WMD, conforme sigla em inglês) tomando medidas para dissuadir o interesse nas WMDs e o conhecimento e tecnologia associados, eliminando as WMDs nos países em países preocupantes, promovendo a diminuição do uso de WMDs e mitigando as conseqüências do uso de WMDs.

Novas relações e velhas parcerias recalibradas

Um mundo cada vez mais multipolar sugere um maior número de atores – inclusive influentes atores que não são Estados – com os quais os EUA e outras potências terão de negociar. O surgimento de um mundo onde o mercantilismo e o nacionalismo baseado em recursos se tornarão o *modus operandi* de alguns países irá diminuir o número de parceiros dos EUA, aumentar o risco de tensões, se não de confronto entre as potências, em tal mundo de forças iguais. Por outro lado, um mundo de prosperidade contínua aumentaria as perspectivas de uma maior divisão de responsabilidades e melhoraria as perspectivas de revitalização do multilateralismo e das instituições globais.

De hoje a 2025, a China e a Índia tendem a permanecer com status de potências focadas no seu próprio desenvolvimento, colhendo benefícios de seu sistema atual sem desejar que os EUA e outros busquem promover mudanças radicais na ordem internacional até que Pequim e Nova Déli julguem que estão em melhor posição para ajudar a estabelecer novas regras.

Embora as potências emergentes irão querer preservar amplas reservas e autonomia para exercer sua influência regional independentemente dos EUA, seu relacionamento com os EUA deve aprofundar, se seus planos de maior desenvolvimento econômico continuarem. O colapso econômico, especialmente no caso da China pode levar a uma exacerbação do nacionalismo e a maiores tensões com as potências estrangeiras, entre elas os EUA.

A Europa enfrentará desafios domésticos difíceis que podem prejudicar sua capacidade de assumir um papel global de maior proeminência, especialmente no campo da segurança. Uma sensação de maior ameaça – seja por parte do terrorismo ou de uma Rússia rediviva – poderia mudar a percepção da Europa quanto à necessidade de maiores gastos com a defesa e maior capacidade de ação unificada. O maior interesse nos desenvolvimentos econômicos e sociais do Magrebe e do Oriente Médio aumenta o potencial de a Europa exercer um papel estabilizador semelhante ao que já realizou com relação ao Oriente. O Japão, para manter sua posição em relação à China, pode aumentar seu papel político e de segurança na região. Esperamos que outros países, como o Brasil, assumam papéis regionais mais expressivos e aumentem seu envolvimento com certos temas globais como comércio e mudança climática.

As tendências atuais sugerem que a Rússia tem um interesse mais imediato em desafiar o que ela percebe como um sistema internacional dominado pelos EUA do que as outras nações emergentes. Uma economia mais diversificada, desenvolvimento de uma classe média independente e confiança no conhecimento tecnológico e nos investimentos estrangeiros para desenvolver seus recursos de energia podem, porém, mudar essa trajetória. Uma mudança mais cedo do que esperado para outras fontes de energia que não sejam combustíveis fósseis também podem prejudicar o recente desenvolvimento russo.

No Oriente Médio, onde os EUA tendem a continuar sendo o ator externo dominante, as atuais tendências sugerem um maior papel para os países asiáticos, os quais estão reforçando suas relações econômicas com laços políticos mais fortes. As potências asiáticas – além das européias – podem buscar assumir papéis proeminentes em qualquer esforço internacional futuro de segurança no Oriente Médio. O papel das ONGs irá crescer com o aumento das necessidades humanitárias devido à mudança climática. Por sua vez, a comunidade internacional, inclusive os EUA, se tornará mais dependente das ONGs para dividir o peso da resposta às necessidades humanitárias.

Menor margem de erro financeiro

O dólar está vulnerável a uma grande crise financeira e o papel internacional do dólar deve declinar e deixar de ser a única "reserva monetária global" e,

Diminuição do antiamericanismo?

A reputação dos EUA no exterior tem flutuado ao longo das décadas - do *americano feio* da década de 1950, aos amplos protestos internacionais quanto ao Vietnã nos anos 1960 e 1970, ao ativismo antinuclear na Europa na década de 1980. O antiamericanismo voltou novamente nesta década. Entre 2002 e 2007 a imagem dos EUA se tornou menos favorável em 27 de 33 países pesquisados. Atitudes críticas em relação aos EUA podem ser divididas em duas categorias básicas:

- "Crítica transitória" promovida pelos desentendimentos quanto a aspectos específicos dos EUA que podem mudar com o tempo, como suas políticas externas.
- "Antiamericanismo" que reflete a antipatia profunda e sem diferenciação com relação à maioria dos aspectos dos EUA.

Na medida em que certos aspectos da vida americana - por exemplo, seu sistema político, povo, cultura, ciência e tecnologia, educação e práticas comerciais - são vistos no exterior como admiráveis, as percepções dos EUA serão complexas, mantendo as opiniões flexíveis e abertas à revisão. A trajetória negativa da reputação dos EUA sugere que isto pode ter chegado ao fundo do poço. Pesquisas realizadas em 2008 pelo Projeto de Atitudes Globais da Pew mostraram que a opinião favorável aos EUA está aumentando em dez dos 21 países para os quais havia dados disponíveis. Observando as tendências, que impulsionadores e dinâmicas regionais podem ser centrais para estimular tal mudança?

Europa/Eurásia. Em contraste com as regiões mais uniformemente pró ou antiamericanas, a Europa/Eurásia tende a ter percepções mais voláteis sobre os EUA. As percepções dos europeus ocidentais parecem ser sustentadas pelo fato de os EUA, seu aliado-chave, e a OTAN têm em comum abordagens práticas e multilaterais aos problemas internacionais. As percepções dos europeus centrais e orientais, que são tradicionalmente favoráveis aos EUA, provavelmente voltarão com o tempo à norma da Europa Ocidental. Nenhum conjunto de medidas americanas em particular irá reconquistar os países da antiga União Soviética, mas evitar um pesado movimento de ativos militares para a região percebida por Moscou como próxima evitaria relações mais tensas com a Rússia.

Oriente Médio/Sul da Ásia. As sociedades mais hostis aos EUA estão no Oriente Médio islâmico, bem como no Paquistão e no Norte da África. A Índia é uma exceção importante. Os fatores para melhorar a imagem dos EUA devem incluir um compromisso mais forte com o progresso significativo das relações entre Israel e a palestina, desassociar o antiterrorismo da percepção de uma guerra contra o Islã e buscar ajudar os cidadãos necessitados, bem como as elites da segurança militar. Na medida em que o Irã é percebido como uma perigosa potência revisionista, as pessoas e países da região tenderão a ver a capacidade militar dos EUA como positiva.

continua...

África ao sul do Saara. A áfrica continuará a ter boa vontade em relação aos EUA. As populações da África ao sul do Saara tendem a invejar o estilo o padrão de vida dos americanos. Se o AFRICOM, o novo comando militar dos EUA*, não apresentar uma face supermilitarizada aos cidadãos dos países africanos, e se a ajuda humanitária e econômica continuar, a pesquisa sugere que a opinião africana sobre os EUA continuará favorável.

Sudeste da Ásia/Ásia Oriental. As percepções dos EUA nessa região são relativamente positivas. Apesar do crescimento econômico da China e da integração asiática, o "*soft power*" dos EUA ainda eclipsa o poder da China. Os EUA continuarão a ser vistos como um parceiro de segurança confiável no nordeste da Ásia e, em menor grau, do sudeste asiático. As percepções públicas correm o risco de se tornarem negativas na China, dependendo dos retratos dos EUA pintados pela mídia oficial do país.

América Latina. As percepções dos EUA são relativamente favoráveis e estáveis, muito mais na América Central, mas menor na região dos Andes. Algum nível de migração aos EUA em busca de empregos e a remessa subseqüente de receita para a América Latina serão vitais. Também será importante o grau com que os interesses dos EUA e latino-americanos são comuns e compartilhados, especialmente em tarefas multilaterais como a interdição do suprimento de drogas e o combate ao crime organizado e às gangues criminosas.

Agregando todas as regiões, o que a projeção dos fatores atuais que afetam o antiamericanismo indica para 2025? Primeiro, os fatores favoráveis aos EUA:

- Muitos líderes e populações de países não confiam no grande ***poder***, independentemente de quem o detenha. Conforme a China se torna mais poderosa, algumas cautelas serão dirigidas a Pequim, e a função dos EUA como contrapeso será mais apreciada.
- Os EUA estão se beneficiando de uma provável virada na ***batalha de idéias***. Primeiro, e mais importante, o apoio ao terrorismo declinou dramaticamente nos últimos anos nos países muçulmanos. Menos muçulmanos julgam os atentados suicidas justificáveis, e a confiança em Osama Bin Laden diminuiu.
- Conforme os grandes mercados emergentes da Ásia e de outros lugares crescem, a ***globalização*** será cada vez menos relacionada à *americanização*. Na medida em que os modos de vida são desestabilizados ao redor do globo, idéias e costumes estrangeiros indesejados parecerão ser mais produtos da modernidade do que dos EUA.

As percepções potencialmente desfavoráveis serão relacionadas com a lerdeza no trato de problemas transnacionais como a mudança climática, segurança alimentar e

1. O exército dos EUA se divide em seis "comandos unificados". Além do AFRICOM, os outros cinco são: o Comando Central, (CENTCOM), situado na Base da Força Aérea de MacDill, no centro-sul de Tampa, Florida, o Comando Sul (SOUTHCOM), baseado em Miami; o Comando Europeu, baseado em Stuttgart; o Comando do Pacifico, baseado em Honolulu; e o comando do Norte (NORTHCOM), baseado em Colorado Springs – N. do T.

energética. Um fator indeterminado atual será o efeito da telefonia móvel, conectividade da Internet e mídia direta por satélite na qual os indivíduos em todo o mundo receberão imagens dos EUA. De forma geral, porém, as maiores tendências sugerem que o antiamericanismo está em declínio.

por volta de 2025, se tornará o primeiro entre iguais em um cesto monetário. Isso pode acontecer repentinamente na esteira de uma crise, ou gradualmente com o reequilíbrio global. Tal declínio provocará mudanças e forçar decisões novas e difíceis na condução da política exterior americana.

- O status do dólar de reserva global confere privilégio aos EUA, isolando o país dos riscos de choques monetários, o que permite taxas de juros mais baixas, ao mesmo tempo em que a forte demanda por dólares americanos permite aos EUA uma habilidade única de administrar grandes déficits fiscais sem a desaprovação da economia global.

Aproveitado pelos EUA por mais de 60 anos, tais privilégios talvez tenham permeado tanto o pensamento americano a ponto de passar despercebido. Apesar de a perda total do status de reserva não ser provável, o declínio do dólar pode forçar os EUA a tomar decisões difíceis entre atingir políticas externas ambiciosas e os altos custos domésticos para manter esses objetivos. Em face de maiores taxas de juros, impostos mais altos e choques no petróleo, o público americano teria de pesar as conseqüências econômicas de assumir fortes ações militares, por exemplo. O impacto em outros que desejam um forte compromisso dos EUA pode ser igualmente grande, se os EUA declinarem ou não desejarem tomar medidas. Além disso, a dependência financeira dos EUA por parte de potências externas para sua estabilidade fiscal pode prejudicar a liberdade de ação dos EUA de maneiras não previstas.

Maior Superioridade Militar Limitada

Em 2025, os EUA ainda manterão capacidades militares únicas, especialmente sua habilidade de projetar poder militar globalmente, que outros países continuarão a invejar e a confiar para assegurar a segurança mundial. A habilidade dos EUA de proteger os "interesses globais comuns" e de assegurar o livre fluxo de energia pode ganhar mais proeminência, conforme aumentam as preocupações sobre a segurança de energia. Os EUA também continuarão a ser vistos como parceiros de segurança de escolha por muitos países confrontados com a ascensão de potências nucleares potencialmente hostis. Embora a emergência de novos países com armas nucleares possa prejudicar a liberdade de ação dos EUA, a superioridade militar dos EUA, tanto com armas convencionais como nucleares, e a capacidade de defesa por mísseis, será um elemento crítico para deter o comportamento abertamente agressivo por parte de qualquer país que vier a deter armas nucleares. Os EUA também devem exercer um papel significativo no uso do poder militar para conter o terrorismo em escala global.

> *"Desenvolvimentos previstos no ambiente de segurança em 2025 podem levantar questões sobre as vantagens tradicionais dos EUA em relação ao seu poder militar convencional."*

No entanto, os adversários em potencial dos EUA continuarão a buscar nivelar a arena a fim de procurar estratégias assimétricas destinadas a explorar as vulnerabilidades políticas e militares dos EUA. No futuro, países avançados poderão se engajar em ataques espaciais, ataques a redes e na guerra de informação para prejudicar as operações militares americanas às vésperas de um conflito. Ataques cibernéticos e sabotagens nas infra-estruturas econômicas, de energia e de transportes americanas podem ser vistos por alguns adversários como forma de diminuir a força dos EUA no campo de batalha e os levar a atacar interesses americanos diretamente no país. Além disso, a proliferação continuada de sistemas de mísseis de longo alcance, capacidade de anti-acesso e armas nucleares e outras formas de armas de destruição em massa podem ser percebidas pelos adversários em potencial dos EUA, bem como por seus aliados, como um fator que cada vez diminui mais a liberdade de ação dos EUA em época de crise, apesar da superioridade militar convencional dos EUA.

- Alguns aliados tradicionais dos EUA, particularmente Israel e o Japão, podem vir a se sentir menos seguros em 2025 do que se sentem hoje como resultado do surgimento de tendências demográficas desfavoráveis dentro dos seus respectivos países, da escassez de recursos e da concorrência militar mais intensa no Oriente Médio e na Ásia Oriental, especialmente se também houver dúvida sobre a vitalidade das garantias de segurança dos EUA.

Surpresas e conseqüências indesejadas

Conforme deixamos claro em todo este volume, os próximos 15-20 anos têm mais contingências do que certezas.

Todos os atores – não apenas os EUA – serão afetados por "choques" não previstos. Por diversas razões, os EUA parecem mais capazes do que a maioria de absorver tais choques, mas o destino dos EUA também depende da força e da elasticidade de todo o sistema internacional, o qual julgamos ser mais frágil e menos preparado para as implicações das tendências óbvias, como segurança de energia, mudança climática e maior conflito, além das surpresas que surgirão.

Apesar de, por natureza, as surpresas não serem facilmente previstas, tentamos colocar, através dos cenários, futuros alternativos possíveis, e cada um deles sugere mudanças possíveis no papel dos EUA.

Um mundo sem o Ocidente. Neste cenário, os EUA se retiram e seu papel é diminuído. Ao lidar com as partes instáveis do mundo como o Afeganistão, a China e a Índia, e os centro-asiáticos devem formar ou fortalecer outras parcerias – neste caso a Organização de Cooperação de Xangai. A fragmentação da ordem global em blocos regionais e outros – embora não na mesma escala da divisão bipolar EUA-URSS – aconteceria provavelmente em uma era de pouco crescimento econômico e globalização, de ação efetiva em assuntos transnacionais como a mudança climática e a segurança de energia e o potencial de maior instabilidade política.

A Surpresa de Outubro. A falta de uma gestão eficiente nas mudanças ocorridas em função da globalização, do crescimento econômico e dos danos ambientais é compartilhado por mais atores do que apenas pelos EUA. Está implícita neste cenário a necessidade de melhor liderança por parte dos EUA e de instituições multilaterais mais fortes, se o mundo quiser evitar uma crise ainda mais devastadora. Os resultados de erros de cálculo por parte de outros – como os chineses – terão custo político significativo, os quais provavelmente tornarão mais difícil para os EUA e outros países de implementar um plano de desenvolvimento econômico mais sustentado, inclusive os conflitos entre as maiores potências.

A Arrancada dos BRIC's. Neste cenário, as rivalidades das maiores potências e a crescente insegurança de energia levam a um confronto entre a China e a Índia. Os EUA são percebidos por Pequim como favorecendo a Índia em detrimento da China.

A guerra entre as grandes potências é evitada, mas os protagonistas têm de confiar em um terceiro – neste caso no Brasil – para ajudar a reconstituir o tecido internacional. Devido ao desentendimento entre os BRICs, o poder dos EUA é fortemente exacerbado, mas o sistema internacional fica perturbado uma vez que o confronto militar leva a reviravoltas internas e a um nacionalismo maior.

Nem Sempre a Política é Local. Em relação a alguns problemas, ocorre uma mudança sísmica no governo versus autoridades que não são Estados. Pela primeira vez, uma coalizão de atores que não são Estados é vista por um grande número de eleitores como melhor representando os interesses "planetários" e, neste cenário, os governos devem prestar atenção em seus conselhos ou evitar altos custos políticos. Este pode não ser sempre o caso, uma vez que outros problemas nacionais tradicionais de segurança, étnicos, de classe e outras diferenças tendem a re-emergir, minando a influência de movimentos políticos transnacionais.

Os EUA, como outros governos, deverão se adaptar à mudança da paisagem política.

Liderança será chave

Conforme indicamos no início do estudo, as ações humanas tendem a ser determinantes cruciais dos acontecimentos. Historicamente, conforme indicamos, os líderes e suas idéias - positivas e negativas - foram os maiores determinantes de mudanças do último século. Individualmente e coletivamente nos próximos 15-20 anos, os líderes tenderão a ser cruciais na determinação dos resultados dos desenvolvimentos, particularmente no que se refere à garantia de resultados mais positivos. Conforme enfatizamos, as tendências atuais parecem indicar um mundo mais fragmentado e conflitante nos próximos 15-20 anos, mas resultados negativos não são inevitáveis. A liderança e a cooperação internacional serão necessárias para resolver os desafios globais e para compreender as complexidades que os envolvem. Este estudo se destina a ser uma ajuda neste processo: ao colocar algumas das possibilidades alternativas, esperamos ajudar os líderes políticos a nos conduzirem a soluções positivas.